# Pais corajosos

CIP-BRASIL. CATALOGAÇÃO NA PUBLICAÇÃO
SINDICATO NACIONAL DOS EDITORES DE LIVROS, RJ

O65p

Omer, Haim, 1949-
Pais corajosos : como impor limites amorosos e proteger seu filho / Haim Omer, Heloisa Fleury. - 1. ed. - São Paulo : Agora, 2020.
184 p. ; 21 cm.

Tradução de : Courageous parents : opposing bad behavior, impulses, and trends
ISBN 978-85-7183-273-2

1. Parentalidade. 2. Pais e filhos. 3. Disciplina infantil. I. Fleury, Heloisa. II. Título.

20-66795 CDD: 649.64
CDU: 649.1

Camila Donis Hartmann - Bibliotecária - CRB-7/6472

# Pais corajosos

## Como impor limites amorosos e proteger seu filho

Haim Omer
Heloisa Fleury

EDITORA
ÁGORA

Do original em língua inglesa
*COURAGEOUS PARENTS*
*Opposing bad behaviour, impulses, and trends*


Editora executiva: **Soraia Bini Cury**
Assistente editorial: **Michelle Campos**
Tradução: **Heloisa Fleury**
Capa: **Studio DelRey**
Projeto gráfico e diagramação: **Crayon Editorial**

**Editora Ágora**
Departamento editorial
Rua Itapicuru, 613 – 7º andar
05006-000 – São Paulo – SP
Fone: (11) 3872-3322
http://www.summus.com.br
e-mail: summus@summus.com.br

Atendimento ao consumidor
Summus Editorial
Fone: (11) 3865-9890

Vendas por atacado
Fone: (11) 3873-8638
e-mail: vendas@summus.com.br

Impresso no Brasil

# Sumário

# Introdução

Este livro é um resumo dos meus 25 anos de trabalho no campo da parentalidade e uma tentativa de discutir os enormes desafios que os pais enfrentam hoje. Enquanto eles estão enfraquecidos por uma série de fatores, as crianças são inundadas por tentações e riscos sem precedentes.

Crianças e adolescentes se veem enredados em tendências e estímulos sociais perniciosos. As tentações são ainda mais sedutoras graças à publicidade que as dissemina a qualquer hora do dia e da noite – não apenas pela TV como pelos *smartphones*, aos quais seus olhos e ouvidos estão sempre colados.

Justamente quando nossos filhos estão perigosamente à deriva, o *status* parental se encontra ameaçado. Os pais perderam força, pois estão mais solitários. O encolhimento da família extensa é um fenômeno mundial. Os pais recebem pouco apoio de avós, irmãos e vizinhos. A taxa de divórcios e de famílias de pais/mães solo aumentou. A família reduzida de hoje está cada vez mais isolada. Um provérbio africano diz que "é preciso uma aldeia inteira para educar uma criança". Essa "aldeia" desapareceu, e o papel construtivo que ela desempenhava se perdeu.

Os pais também perderam força porque a autoridade que exerciam lhes foi tirada tanto pela sociedade quanto pelos novos valores e ideais educacionais. Trata-se de um processo positivo por si só – afinal, os castigos corporais e a obediência por meio da força são fenômenos negativos de cuja erradicação nos orgulhamos. No entanto, os pais não têm meios hoje para preencher o vácuo deixado por esse fenômeno. Além de sentir falta de outros recursos, quando se voltam para os caminhos do passado surpreendem-se ao descobrir que todos estão em pé de guerra contra eles, o que os enfraquece ainda mais.

Isso sem falar na questão da internet. No passado, os adultos representavam conhecimento e sabedoria. Hoje, esse papel foi assumido pela *web*, e as crianças estão mais conectadas e atualizadas do que eles. A fonte da "sabedoria" está literalmente nas mãos delas. Às vezes, os pais são tentados a arrancar os dispositivos eletrônicos dos filhos, sobretudo como forma de castigo. Dizem que "é a única punição que funciona". O problema é que não funciona e eles são incapazes de sustentá-la.

Diante da crescente falta de rumo, os pais precisam encontrar uma maneira de se firmar em seu "chão parental", a fim de servir de âncora para os filhos. A âncora parental gera não apenas segurança como também um vínculo forte e positivo. É a garantia de que a criança terá pais presentes e estáveis e não será abandonada, indefesa, no redemoinho. A deriva – ou seja, a falta de rumo – e a âncora são as principais metáforas deste livro. Cada parágrafo descreve um aspecto da interação entre as duas. Meu principal objetivo é ajudar os pais a recobrar sua força.

Recuperar o papel de âncora é um ato de coragem. Mas não se pode ser corajoso quando se está imerso em fraqueza e confusão. Este livro é não apenas uma ferramenta para que os pais se tornem corajosos, mas um guia detalhado sobre onde encontrar as fontes dessa coragem. No meu trabalho com milhares de famílias, testemunhei pais que, apesar de terem perdido a resistência, a crença em si mesmos e, às vezes, até mesmo a vontade, encontraram o caminho de volta para a parentalidade. Se alguém tivesse dito a esses pais que eles encontrariam coragem para fazer o que fizeram, provavelmente não teriam acreditado.

A edição brasileira deste livro é fruto da minha colaboração com Heloisa Fleury. Ela não somente traduziu o livro como também o adaptou para o público brasileiro. Como na última cena do filme *Casablanca*, depois dessa colaboração estou certo de que este não será um trabalho único, mas o início de uma bela amizade profissional.

Haim Omer

# 1. Os desafios da parentalidade hoje

Uma das razões pelas quais é mais difícil ser pai/mãe hoje é que o papel parental perdeu clareza. No passado, a tarefa consistia em sustentar a criança e ensinar-lhe valores e habilidades básicas de vida e de trabalho. Os pais que faziam isso eram bons e responsáveis. Sua tarefa era instruir; as da criança, respeitar e obedecer. Essa posição foi validada por inúmeros costumes, regras e leis que firmaram o *status* elevado dos pais. Todos aceitavam essas premissas. Pais, professores, religião, lei e imprensa apoiavam integralmente tais valores. Hoje, porém, as coisas estão longe de ser tão claras. O papel parental é mais confuso para os pais e menos validado pelo ambiente.

A perda de clareza deixou os pais confusos e hesitantes. Eles sofrem muito mais com dúvidas, dilemas e culpa. A pergunta "onde erramos?" é extremamente comum. "Pais confusos" não são menos amorosos, dedicados ou atenciosos. Às vezes é o contrário: em nosso mundo complexo, se eles não experimentarem dúvidas e confusão, isso talvez indique que não estão atentos às dificuldades contemporâneas e aos perigos enfrentados por seus rebentos. Ainda assim, a confusão fragiliza, sobretudo quando os pais enfrentam desafios que exigem uma postura firme e decidida. Em tais situações, pais confusos dificilmente encontrarão uma base firme e estável para exercer a parentalidade, o que aumenta o risco de a criança se desviar do caminho.

Os pais estão confusos, com dúvidas e desamparados não só porque os valores ligados à educação infantil tornaram-se menos claros e consensuais, mas também porque estão enfrentando desafios muito maiores. Tais desafios estão relacionados com a estrutura familiar, o contexto social e o desenvolvimento tecnológico.

Entre as principais mudanças na estrutura familiar estão o aumento da taxa de divórcios, o alto percentual de famílias monoparentais e a diminuição do apoio da família extensa. O divórcio passou de fenômeno marginal a lugar-comum. Paralelamente houve um crescimento do número de mães solo e, por vezes, muito jovens. Inúmeros estudos mostram que, nessas famílias, aumenta o risco de problemas comportamentais enquanto diminui a capacidade dos pais de lidar com eles. Pais que vivem juntos conseguem se posicionar mais firmemente contra a pressão de forças destrutivas do que aqueles solteiros ou divorciados. As mudanças na família extensa também minaram a estabilidade parental. No passado, a família nuclear recebia mais apoio de avós, tios e filhos mais velhos. Hoje, a criação dos filhos é cada vez mais responsabilidade exclusiva de pais e mães, inclusive quando não têm parceiros. As crianças crescem menos inseridas em uma rede familiar e mais em relações individuais. Isso também prejudica a estabilidade dos pais. Está comprovado, por exemplo, que nas famílias em que os avós participam da educação infantil o risco de delinquência é menor.

Outro fator que torna difícil criar filhos com segurança é o crescimento das cidades, que gera anonimato, uma profusão de tentações e oportunidades para "se perder". As crianças de hoje não só são expostas a tentações muito mais sedutoras e variadas como podem facilmente escapar do radar parental e desaparecer na multidão. No passado, se a criança não estivesse no campo de visão imediato dos pais, havia grande chance de estar no de alguém próximo. Ela se sentia vista e sabia que comportamentos problemáticos não seriam ignorados por muito tempo. Nas grandes cidades, as coisas são completamente diferentes: o anonimato da metrópole moderna pode encobrir o mau comportamento. Esse impacto também é sentido nas periferias: além de terem mais acesso a oportunidades, os filhos podem ficar anônimos.

Outro desafio parental é o rápido desenvolvimento tecnológico, que os coloca em posição de fraqueza diante dos filhos. As mudanças mais óbvias nessa área são, naturalmente, o computador, a internet e o *smartphone*. Enquanto antigamente os pais presumiam que seu conhecimento sobre as principais áreas da vida constituía vantagem, o mundo digital virou essa certeza de ponta-cabeça. Hoje eles estão cada vez mais em desvantagem, tanto em termos de conhecimento quanto de influência. O poder dos celulares faz que se sintam cada vez mais marginalizados. Suas mensagens perdem força, pois o celular transmite outras bem mais atraentes. O tempo para o exercício da paternidade diminui, uma vez que o celular ganha cada vez mais tempo e atenção da criança. De todos os fatores que ameaçam a posição dos pais, o celular é provavelmente o mais importante. Sua influência é sentida o tempo todo, pois, mesmo quando não está olhando para ele, a criança está se perguntando o que há de novo nas redes sociais e espera impacientemente pelo momento de retornar a ele. O tempo sem celular vira tempo perdido. Nessa situação, os pais por vezes se tornam representantes de um mundo irrelevante, chato e antigo; na mente da criança, são dinossauros em via de extinção.

Com a proliferação de tentações, de fontes de influência e de oportunidades de fuga, a capacidade dos pais de estabilizar e orientar os filhos é gradualmente prejudicada. A criança é levada pelo maremoto da era moderna e os pais ficam desamparados. Para que se recuperem desse estado de fragilidade, precisam identificar o que os enfraquece. Nos próximos tópicos, as observações que todo pai ou mãe faz sobre si mesmo nos ajudarão a descrever esses fatores.

## TENDO A EXPLICAR E CONVENCER, CONVENCER E EXPLICAR, SEM RESULTADO

Vejamos uma descrição de pais presos a esse padrão:

> É importante para mim explicar aos meus filhos por que ajo de certa maneira e por que determinado comportamento está errado. Quando a criança entende, tudo melhora. Funcionou muito bem com meus filhos mais velhos. Mesmo que às vezes fosse difícil, no fim eles entendiam, e as coisas melhoravam. Mas com minha filha mais nova não funciona. Desde pequena, eu tinha a sensação de que ela não estava ouvindo, não estava absorvendo ou não queria entender. Quando ela chegou à puberdade, isso se transformou num pesadelo. Ela tampa os ouvidos, grita

"cala a boca!" ou deixa claro que tudo que eu digo entra por um ouvido e sai pelo outro.

Não importa o que eu diga, meu filho contra-argumenta. Desde pequeno, responde a tudo com um "por quê?" Até mesmo algo sem importância provoca uma longa discussão. E, sinceramente, é muito difícil resistir aos seus argumentos. Ele apresenta razões, justificativas e exemplos que nos calam.

As explicações constituem processos centrais na educação, pois os pais são os principais responsáveis por mediar o mundo para a criança. Uma das diferenças entre autoridade positiva e negativa é que alguém com autoridade positiva explica suas posições e, assim, aumenta as chances de que estas sejam aceitas e acatadas. Ao contrário, pais autoritários não só não oferecem nenhuma explicação como fazem dessa postura a marca registrada de sua autoridade. A única explicação que dão é: "Faça isso porque eu mandei!" Supõem, assim, que a obediência deve ser cega. Essa forma de autoridade perdeu legitimidade e hoje não tem mais lugar na criação dos filhos.

No entanto, explicações também podem gerar discussões fúteis e intermináveis, transformando-se em um mecanismo que impede a decisão e a ação. Muitas crianças entendem bem isso e iniciam longas discussões porque sabem que, enquanto os pais estão falando, não estão agindo. Quanto mais eles falam, explicam e repreendem, mais sua posição e sua presença se diluem nessa falação.

Os pais precisam aprender a ouvir a si mesmos para saber até que ponto eles próprios caem na armadilha da conversa. Por exemplo: a fala parental é caracterizada pela repetição? O número de pedidos e explicações aumenta continuamente? Os sermões são infindáveis? Os pais usam um tom persuasivo para impressionar o filho? A criança parece gostar da discussão e tenta atrair os pais para ela, ou usa argumentos para enfraquecer a posição deles? Todos esses sinais indicam que os pais caíram na verborragia e, assim, perderam importância e presença.

### AMEAÇO, GRITO E REAJO IMPULSIVAMENTE

Muitos pais sentem que devem reagir de forma incisiva e imediata ao comportamento problemático e às provocações da criança, pois do contrário parecerão fracos e perderão respeito. Sentem que esse tipo de resposta ajuda a criança a compreender a situação. Eis algumas frases ditas por aqueles que adotam tal postura:

- Ela vai ver quem manda aqui!
- Vou dar a ele um motivo pra ter medo!
- Tenho de mostrar a ela de uma vez por todas!
- Se eu não reagir, ele vai pensar que venceu!

Essas frases indicam que os pais estão presos à ideia de que não têm escolha a não ser reagir brusca e instantaneamente a cada provocação ou comportamento problemático. Trata-se de uma expectativa questionável: eles esperam que, se a reação for forte o bastante, a criança vai aprender de uma vez por todas. Isso, porém, quase nunca acontece. Na grande maioria dos casos, gritos, ameaças e explosões violentas exacerbam o conflito e minam a influência parental.

O desgaste da parentalidade em uma enxurrada de gritos, repreensões e ameaças vazias é óbvio, por exemplo, no caso de crianças agitadas ou com transtorno de déficit de atenção e hiperatividade (TDAH). Esses pais e mães se veem girando num carrossel cujo pano de fundo são expressões como "pare!", "não!", "eu te avisei!", "se você não parar, eu vou..." e assim por diante. No fim das contas, não é nenhuma surpresa que se sintam exaustos. Para caracterizar essa situação, cunhamos o termo "pais acuados": aqueles que se sentem constantemente pressionados e perderam a sensação de estar no comando. Para avaliar tais situações, criamos o "questionário dos pais acuados". Nossas pesquisas comprovam que pais de crianças com TDAH sentem-se muito mais acuados do que os outros. O questionário também mostrou que, usando nossa abordagem, é possível frear esse carrossel e recuperar a sensação de presença e importância.

Os pais muitas vezes reclamam que as crianças não os ouvem ou os ignoram. Para resolver isso, acham que precisam repetir a mesma coisa infinitamente ou erguer a voz para que suas palavras penetrem na cabeça dos filhos. Esses pais não entendem o mecanismo de habituação embutido em nosso sistema nervoso: voz que se repete, repreende, grita e fala sem parar é catalogada pelo cérebro da criança como "ruído de fundo". Isso inicia um processo de habituação em que o sistema nervoso infantil reage cada vez menos à voz dos progenitores. Paradoxalmente, a tentativa de vencer o descaso se repetindo e falando cada vez mais alto fortalece o mecanismo de habituação. Na verdade, os pais "desligam" a própria voz com esse zumbido constante de pedidos, broncas e gritos.

Processo diferente acontece com os pais que tentam mostrar ao filho de uma vez por todas que ele não pode manter o comportamento problemático. Vejamos o caso do pai que proíbe telas por um mês. Quase sempre são os pais que impõem tal punição, mas infelizmente são as mães que têm de fazer o filho cumprir a sentença. Não à toa, esse tipo de castigo nunca é mantido até o fim, tornando-se mais uma fase do processo de desgaste parental. O resultado só piora a situação: o pai fica com raiva da mãe porque ela não exigiu o cumprimento da punição; a mãe fica com raiva do pai por colocar o fardo sobre seus ombros. A distância entre eles aumenta e o valor parental decresce proporcionalmente. Muitas vezes o pai simplesmente desiste ("se eles não fazem do meu jeito, então que se virem sem mim!"), aprofundando ainda mais a sua marginalidade na família. Mas às vezes o dano provocado por punições severas é ainda maior, sobretudo quando as crianças são rebeldes. Estas nunca se rendem: veem a rendição como aniquilação – sentem que, se baixarem a cabeça, deixarão de existir. Tais crianças travam uma guerra total contra qualquer tentativa de dominação. E, se porventura cedem, é apenas tática, pois prometem a si mesmas que os pais vão pagar pela humilhação.

## RENUNCIO AO MEU ESPAÇO, A MOMENTOS DE LAZER E AOS MEUS OBJETIVOS PESSOAIS POR MEU FILHO

> Nosso filho dorme na nossa cama porque não consegue dormir sozinho. Ele sofre de uma grave angústia de separação. Como casal, nunca conseguimos ficar sozinhos, e férias a dois estão fora de cogitação!

Minha filha adolescente não me deixa convidar duas amigas minhas para jantar porque ela as odeia.

Desisti do meu emprego porque entendi que meu filho precisa de mim o tempo todo!

Muitos pais acabam nessa situação porque se preocupam profundamente com o bem-estar dos filhos. Estão cientes de que pagam um alto preço pessoal, profissional e social, mas sentem que não têm escolha. Às vezes a identificação emocional dos pais com a criança é tão grande que o sofrimento dela ocupa inteiramente a vida deles. Seus sentimentos não são independentes: eles vivem em função do estado emocional dos filhos.

Uma criança com deficiência ou muito doente põe à prova a dedicação dos pais. É por isso que aqueles que se sacrificam pelos filhos são vistos com grande respeito. Porém, quando as dificuldades emocionais da criança os levam a se adaptar, a modificar toda a sua rotina para poupá-la de dor, estresse ou ansiedade, os resultados podem ser o oposto do esperado. Assim, em vez de ficar menos ansiosa, a criança se torna mais tensa e menos funcional. Em vez de servir de apoio ao filho na superação de seus problemas, os pais perdem a independência e tornam-se instrumentos da evitação e da obstinação da criança.

Inúmeras pesquisas mostram os danos que a constante *acomodação parental* causa à independência das crianças. O termo indica um processo em que os pais "amolecem" e fazem de tudo para que os filhos não sofram ou para que eles próprios tenham um pouco de "paz e tranquilidade". Quanto aos transtornos de ansiedade – como fobia social, angústia de separação, fobias específicas, transtorno obsessivo-compulsivo (TOC) ou transtorno de estresse pós-traumático (TEPT) –, comprovou-se que a acomodação dos pais às demandas ou expectativas da criança leva à piora do problema. A acomodação também é fator decisivo para o sucesso ou o fracasso da terapia, seja psicológica ou medicamentosa. Desse modo, quando os pais demonstram um alto nível de acomodação, as chances de sucesso do tratamento decrescem significativamente. Em contrapartida, a orientação sistemática aos pais para que reduzam a acomodação melhora tanto os níveis de ansiedade quanto o comportamento da criança.

As consequências problemáticas do desgaste e da acomodação parentais permanecem ao longo da vida da criança. Assim, a capitulação diante de expectativas e demandas que não têm relação com a autossuficiência da criança aumenta o risco de dependência e passividade em adolescentes e jovens adultos. Esse quadro é caracterizado por evasão escolar e incapacidade para o trabalho – e, por vezes, pelo isolamento social. Aqui, também, os pais são tomados pelas dificuldades e pela angústia dos filhos, protegendo-os das demandas do mundo exterior. Quando isso acontece, o jovem vive em um "refúgio nocivo" – a proteção parental evita pressões, mas leva a uma contínua disfunção. Nosso programa para ajudar os pais a diminuir a acomodação e recuperar seu senso de importância e de iniciativa em casos de dependência e passividade levou a uma melhora significativa tanto da capacidade parental de se proteger das demandas quanto do comportamento do filho adulto.

A seguir, apresentamos algumas perguntas sobre a perda de espaço pessoal e de limites que ajudarão os pais a descobrir se – e até que ponto – estão oferecendo um apoio positivo ou uma proteção perniciosa:

- Meu tempo deixou de ser meu e se tornou o tempo do meu filho em virtude de sua ansiedade ou de suas dificuldades? (Por exemplo, afetou meu trabalho ou minhas atividades de lazer.)
- Meu espaço pessoal foi limitado pelas dificuldades do meu filho? (Por exemplo, ele dorme na minha cama ou tem acesso ilimitado ao meu espaço pessoal ou aos meus pertences.)
- Sinto-me sobrecarregado e reajo imediatamente para prevenir ou conter a angústia do meu filho?
- O cotidiano e a rotina da família são ditados por ansiedades, dificuldades ou exigências da criança? (Por exemplo, ajo cada vez mais no lugar dela ou os hábitos destinados a satisfazer suas necessidades ou aliviar sua angústia estão aumentando.)

- Sou capaz de impedir meu filho de me interromper em conversas ou atividades pessoais?
- Tenho direito aos meus desejos e planos? Sou capaz de realizá-los?

Muitos pais se apagam nesse processo gradual de perda de posição, voz e vontade em benefício das expectativas, angústias e demandas da criança. Ora a acomodação parental é voluntária, ora forçada. Por vezes a criança ameaça reagir mal se os pais não cooperarem e seu sofrimento é tão insuportável para os pais que eles se sentem obrigados a ceder. Em todos esses casos, os pais perdem a individualidade e a importância, enquanto a criança perde a autoestima e se torna disfuncional.

### ME SINTO DESLOCADO E SEI CADA VEZ MENOS SOBRE O MEU FILHO

Não sei quem são os amigos da minha filha. Quando eles vêm à minha casa, ela impede deliberadamente que eu converse com eles.

Quando pergunto ao meu filho aonde está indo, ele dá respostas genéricas, como "vou encontrar amigos", recusando-se a fornecer mais detalhes. Houve casos em que ele disse que estaria na casa de fulano, mas acabei sabendo que nem passara por lá.

Quando meu filho se senta na frente do computador, tranca a porta. O melhor amigo dele é o celular!

Fui excluído do mundo dos meus filhos!

Quando quero saber algo, prefiro xeretar nas coisas da minha filha. Assim descubro o que está acontecendo sem confrontá-la.

Muitos pais sentem como se seus filhos vivessem em um mundo cada vez mais desconhecido e fechado a eles. A sensação de marginalização é acentuada pela rapidez das mudanças tecnológicas. As crianças estão crescendo em um ambiente completamente diferente daquele em que seus pais cresceram. Celulares, redes sociais e jogos *online* criaram uma realidade alternativa quase impermeável. Quando a criança mergulha no mundo virtual, é difícil ter uma simples conversa ou até fazer contato visual com ela. O tempo de qualidade entre pais e filhos diminui a cada dia. Muito se fala sobre os efeitos do mundo digital no desenvolvimento infantil. Mas o fato de a criança estar imersa no celular também tem impacto no desenvolvimento dos pais – que acabam "aprendendo" a ficar à margem do discurso significativo em que ela está envolvida. Seus apelos se tornam um incômodo. Vários se deixam levar e não percebem que seu papel parental diminui. Quando se atrevem a tomar uma providência em relação ao celular, usam-no para ameaçar a criança: se ela não se comportar, ficará sem o aparelho. Essa atitude aumenta as discussões e leva a um grande desgaste.

Outra mudança que marginaliza os pais é a glorificação da privacidade – hoje transformada em valor supremo, que não deve ser questionado em nenhuma circunstância. Chamamos isso de "reflexo da privacidade". Os adolescentes de hoje culpam os pais por invadir seu espaço e ficam indignados mesmo quando está claro que usam essa privacidade de forma prejudicial. Os pais se retraem por várias razões:

a) a criança evoca o senso de justiça ao apelar para a bandeira da privacidade;
b) sentem-se culpados diante dessa acusação;
c) o reflexo da privacidade reverbera no ambiente.

Quanto mais a privacidade se amplia, mais a parentalidade diminui. Entre as áreas em que os pais perdem o direito de intervir estão o quarto da criança, seus pertences, dinheiro, amigos, atividades de lazer e, claro, o celular. Uma posição parental que se enquadra no reflexo da privacidade é a discrição a qualquer custo. Discrição e sigilo são valores importantes para os pais, embora em muitos casos isso aprofunde seu desamparo e marginalidade. Em nome da discrição e do sigilo, eles permanecem isolados e sem apoio. Quando as exigências de privacidade da criança atendem à necessidade de discrição dos pais, a família se fecha numa bolha impermeável. A fórmula a seguir descreve o mecanismo mais eficaz de paralisia parental:

PRIVACIDADE ABSOLUTA DA CRIANÇA + DISCRIÇÃO PARENTAL = INFLUÊNCIA ZERO

Às vezes, os pais tentam contornar esse problema espionando a criança. Adquirem uma ilusão de controle, mas ao mentir aprofundam o desamparo e destroem a relação com o filho. Afinal, eles não podem agir com base no que descobriram às escondidas, a menos que a ação também seja realizada secretamente. Às vezes, isso os empurra para esquemas complicados e arriscados.

*Ao descobrir que a filha fumava maconha em casa com o namorado, o pai agiu de modo extremo: para não revelar que revistara o quarto dela, conspirou com um amigo investigador de polícia. Este se aproximou da garota e disse-lhe sigilosamente que ela e o namorado estavam sendo investigados pela Divisão Antidrogas. A moça prometeu que pararia de usar maconha, mas fez o policial jurar que não contaria nada ao pai. O investigador concordou e o problema supostamente foi resolvido, mas a um alto custo: criou-se uma relação falaciosa entre o amigo, o pai e a filha para esconder algo que o pai descobrira por si mesmo. Desnecessário dizer que a posição do pai não se fortaleceu – muito pelo contrário.*

Para descobrir até que ponto estão marginalizados e apartados da vida das crianças, os pais podem se fazer as seguintes perguntas:

- Tenho dificuldade para me aproximar do meu filho porque ele está vidrado no computador ou no celular?
- Sei quem são os amigos do meu filho e quais são seus *hobbies*?
- Estou a par de seus sucessos e dificuldades escolares? Posso perguntar? Vou obter respostas?
- Meu filho sempre tem um ataque quando acha que estou violando sua privacidade?

- Tenho medo de averiguar abertamente o que ele está fazendo em contextos em que ele pode estar se metendo em problemas?
- Escondo a razão do meu interesse e tento obter informações sem que ele perceba?
- Sinto que ele me excluiu da vida dele?

Com essas perguntas, os pais conseguem avaliar até que ponto sua presença está prejudicada. O enfraquecimento dessa presença constitui um processo destrutivo, pois o cuidado vigilante parental, isto é, a capacidade dos pais de estarem envolvidos e atentos, é a principal forma de prevenir problemas. A combinação de falta de presença, proliferação de tentações e anonimato cria uma situação explosiva em que as crianças correm cada vez mais riscos, enquanto os pais são sistematicamente mantidos fora da vida delas.

## OS PAIS-ÂNCORA

A resposta para a falta de rumo, a marginalização e a alienação que descrevemos é que os pais se mantenham firmes e sejam como âncoras para seus filhos. A âncora estabiliza o barco, prendendo-se firmemente ao solo. Assim, os pais mantêm firmemente seu "chão parental". O processo de ancorar a criança começa com a autoancoragem. Se os pais não se estabilizarem em seu papel parental, não serão capazes de conter a desordem. Ao contrário, se verão arrastados pelas correntes que tragam seus filhos. A ancoragem parental é baseada em quatro pilares, os quais veremos a seguir.

### Presença

Os pais-âncora têm uma presença palpável. Não podem ser suspensos nem expulsos. Para tanto, transmitem aos filhos a seguinte mensagem: "Somos seus pais. Você não pode nos demitir, se divorciar de nós ou nos calar. Estamos aqui e aqui permaneceremos". Quando eles se comportam de um modo que manifeste presença, a criança sente que tem pais e não apenas fornecedores de dinheiro e/ou serviços. Por sua vez, pai e mãe sentem que têm voz, importância e influência. Com presença determinada, estabelecem-se as bases para a estabilidade na vida da criança e da família. Tal presença não é expressa por explosões de raiva, mas por uma posição firme e constante. A experiência de presença é oposta à indignação impulsiva. A mensagem "estou aqui e vou ficar aqui" indica que, ainda que a criança não esteja ciente disso (por exemplo, quando está com os amigos ou nas redes sociais), a âncora parental permanece ali, nas profundezas.

*Aída (13) era uma garota precoce e independente. Seu pai, Amaury, com quem ela morava, casou-se novamente. A relação de Aída com o pai e a madrasta oscilava entre fases de proximidade e períodos de frieza e hostilidade. Nos momentos difíceis, ela ficava horas fora de casa e dormia na casa de amigas. Amaury sentia que Aída era não apenas independente, mas também responsável, então evitava tomar uma posição clara sobre o assunto, sobretudo porque depois de alguns dias ela voltava para casa bem-humorada. Tudo mudou quando Amaury descobriu que Aída estava matando aula e ela passou a evitar suas perguntas. Quando tentou pressionar a filha, Aída ameaçou se mudar para a casa da mãe. Mesmo que a ameaça não fosse real, uma vez que Amaury tinha a custódia da filha, aquilo abalou sua confiança parental. Em conversa com o orientador escolar, Amaury disse que, se não tomava uma posição firme, era para manter a harmonia familiar e evitar que a relação com a filha se deteriorasse. Também admitiu que a ameaça de Aída de morar com a mãe abalara sua confiança. O orientador comentou: "Acho que Aída mantém você sob a ameaça constante de ser 'demitido'. Ela faz você se sentir um pai em liberdade condicional, mas isso só piora o sentimento dela de estar sem rumo. E, na verdade, Aída não pode demitir você!" O orientador acertou na mosca. Enquanto conversavam, Amaury começou a recuperar seu papel como pai e indivíduo. No dia seguinte, entrou em contato com algumas mães de amigos de Aída e pediu-lhes que o avisassem quando a menina aparecesse. Também combinou com a professora de Aída que o informasse imediatamente caso ela faltasse. Depois, chamou Aída para uma conversa e disse: "Nos últimos meses, senti que você estava se desencaminhando. No começo, não tomei nenhuma providência porque achei que se eu fosse paciente você ia cair em si. Agora percebo que isso não foi bom para nenhum de nós. Já que você está matando aula e sumindo por aí, decidi ficar de olho em você. Estou em contato com os pais dos seus amigos e com a escola. Se você faltar à aula, vou procurar você. Se for dormir na casa de uma amiga, vou falar com os pais dela; se necessário, aparecerei lá. Sou seu pai e serei seu pai no inferno ou no céu. Você é muito importante para mim para eu desistir de você!" Amaury percebeu que a cada contato e a cada visita à escola enviava a Aída uma mensagem de presença: "Estou aqui! Estou aqui!" Ele não agiu com agressividade, não ameaçou a filha nem usou um tom autoritário. Ao contrário, só demonstrou amor e dedicação. No momento da conversa, Aída não reagiu, mas em uma semana seu comportamento se estabilizou. A posição firme do pai impediu que ela perdesse o rumo.*

## Autocontrole

O desenvolvimento do autocontrole permite que os pais resistam tanto aos desafios diários quanto a situações incomuns. Ao contrário do que se pensa, o autocontrole não é uma característica inata. Estudos comprovam que é possível desenvolver habilidades para superar reações impulsivas e tomar posições muito mais firmes. O "músculo do autocontrole" pode ser desenvolvido e fortalecido tanto quanto qualquer outro. Em nossos seminários, falamos de três princípios que permeiam o autocontrole:

- malhe o ferro enquanto... frio;
- você não pode controlar seu filho, só a si mesmo;
- não é preciso vencer, mas persistir.

Quando os pais entendem esses princípios e passam a aplicá-los, descobrem que situações antes explosivas se tornam gerenciáveis.

*Rita passava muito tempo sozinha com o filho Tom (8), pois o marido trabalhava demais e viajava com frequência. Ela administrara bem a situação com os filhos mais velhos, mas Tom testava seriamente seus limites. Ele era dependente e exigente. Quando queria que a mãe lhe comprasse algo, choramingava sem parar. Se ela não concordasse, dava chiliques. Rita estava exausta. Às vezes, cedia só para ter um pouco de paz e sossego. Segundo ela, a voz do menino penetrava seus ouvidos e perfurava sua cabeça como uma broca. Rita começou a sofrer de enxaqueca. Cada choro e demanda de Tom eram um desafio para ela: assim que ele começava a berrar, Rita se encolhia. Ela comentou a situação com uma amiga cujos dois filhos tinham TDAH. A amiga, que participara dos nossos cursos, sugeriu a Rita uma maneira simples e surpreendente de expandir seu espaço mental e melhorar seu senso de controle sobre Tom. A ideia era combinar o princípio do adiamento ("malhe o ferro enquanto... frio") com formas concretas de autodefesa. Após a conversa, Rita disse a Tom: "Sempre que você me pedir algo, darei a resposta no dia seguinte. Comprei este caderno especial para anotar os pedidos e o dia e a hora em que foram feitos". Claro que Tom não mudou de conduta após o aviso da mãe. Manteve o velho hábito de reclamar e gritar. A mãe recorreu à segunda medida: colocou protetores de ouvido e disse: "Estou colocando esses protetores para não sentir raiva quando você gritar. Ainda consigo ouvir você, só que mais baixo". Para mostrar que ainda conseguia ouvi-lo, ela colocou os protetores nos ouvidos do filho e falou com ele, a fim de que ele ouvisse sua voz abafada. Rita também se esforçou para manter o semblante calmo, quase indiferente. Tom não se tornou uma criança tranquila após a intervenção, mas Rita passou a sentir que tinha mais autocontrole: cedia bem menos e não tinha mais explosões de raiva. As exigências irritantes de Tom tornaram-se mais razoáveis. Rita sentiu que recuperara não só seu lugar como mãe, mas também os ouvidos.*

## Apoio

Uma âncora relativamente pequena pode estabilizar um navio bem grande graças aos três ganchos que a prendem ao chão. Da mesma maneira, pais que são capazes de compartilhar problemas com parentes e amigos próximos, obtendo apoio, são uma âncora muito mais forte para os filhos do que se agissem sozinhos. Recorrer a familiares, amigos ou à escola para estabelecer ações conjuntas não é fácil para muitos pais. O reflexo da privacidade e a sensação de que cada um deve resolver seus problemas dificultam os pedidos de ajuda. Mas os pais que superam essa barreira descobrem que a ajuda do entorno lhes confere legitimidade, influência e estabilidade. Muitos pensam que não têm apoios significativos e, portanto, estão condenados a agir sozinhos. Não percebem que, assim, excluem automaticamente boas opções de apoio. Frases como "A vovó está doente, não quero incomodá-la", "Todo mundo tem seus problemas, ninguém tem tempo para ajudar", "Não temos rede de apoio, moramos longe da família" ou "Não consigo falar com eles, tenho vergonha" prendem os pais numa bolha e tolhem qualquer iniciativa de pedir ajuda. Mas os "músculos do apoio" podem ser treinados e fortalecidos. Os exemplos a seguir ilustram possibilidades tremendas de autoestabilização e ancoragem parental descortinadas quando os pais pedem ajuda.

*Hugo (14) bateu na irmã, Milene (11), e a humilhou na frente dos amigos. A mãe ouviu os gritos, entrou no quarto, ordenou que Hugo saísse e disse que ia pensar no que fazer. Ela costumava reagir a tudo gritando, ameaçando e punindo, o que não ajudava: Hugo voltava a perseguir a irmã e a mãe perdia novamente o controle. Dessa vez, decidiu agir diferente. Algumas horas depois, Hugo recebeu um telefonema do avô: "Você sabe que te adoro e me importo com você. Mas o que você fez com sua irmã hoje foi horrível e você precisa parar já. Se estiver com raiva, me ligue e encontraremos uma maneira de você se acalmar e resolver o problema. Mas bater, cuspir e xingar, como você fez hoje, são atitudes absolutamente inaceitáveis. Continuarei atento. Você sabe que eu amo a Milene tanto quanto amo você!" Hugo perguntou ao avô se a mãe lhe contara o incidente. O avô disse: "Claro que ela me contou! Eu sabia que havia problemas e agora vou ficar de olho!" Mais tarde, Hugo recebeu um e-mail de uma tia que morava em outro estado. Ela se manifestou de maneira semelhante ao avô. Hugo então perguntou à mãe, espantado: "Será que todo mundo sabe o que aconteceu entre mim e a Milene?" A mãe respondeu: "Se você xingar ou bater nela, o mundo inteiro vai saber". Nas semanas seguintes, o avô de Hugo conversou com ele algumas vezes e elogiou seu autocontrole.*

*Artur (12) era uma criança agitada e facilmente cooptada por más companhias. Ele e dois amigos foram flagrados tentando atear fogo na despensa da escola. Depois de uma suspensão de três dias, o diretor chamou os meninos e os pais. Disse que faltava uma última coisa para resolver o caso: eles tinham de encontrar um modo de desculpar-se com a comunidade escolar para recuperar o lugar de alunos com direitos e deveres. Explicou: "Há um princípio nesta escola: 'Cada um é responsável pelos danos que provoca'. Preciso que vocês realizem um ato de boa vontade para resgatar a relação entre vocês e a escola. Não precisam propor nada agora. Aguardo uma proposta conjunta em até três dias". Perguntou se havia perguntas e encerrou a reunião. No caminho para casa, Artur começou a conversar com os pais sobre o que podia fazer para se desculpar. Mas, depois de falar com os amigos, mudou de ideia e mostrou raiva e ressentimento. Segundo ele, o diretor só queria humilhá-los. Ficou claro que Artur estava reproduzindo a fala dos amigos. Seus pais viram aquilo como uma oportunidade de ajudar o menino a aprender a ter personalidade própria. Disseram que iam pensar no assunto, mas que concordavam com o diretor. No dia seguinte, Artur recebeu uma visita inesperada de seu primo Daniel, jogador de futebol profissional bem-sucedido e muito admirado, embora só tivesse 22 anos. Daniel lhe disse: "Fiquei sabendo do ato de vandalismo, da suspensão e da exigência de que vocês corrijam a situação. Entendo a sua raiva, afinal não houve diálogo, apenas castigo. Quero ajudar. Sei que seus pais estão decididos a cumprir a exigência do diretor e entendo o lado deles. Esse ato de reparação vai recuperar a honra da família. A questão é como fazer isso para que você também se sinta honrado e não humilhado". Os dois pensaram sobre o assunto e Daniel deu uma ideia que Artur achou excelente: os pais das crianças doariam três bolas de futebol à escola, que seriam compradas com a mesada dos três meninos. Com a ajuda de Daniel, organizariam um torneio de futebol. Daniel falou com os tios e com os pais das outras crianças. Como ele era muito conhecido, Artur disse aos amigos: "Se fizermos isso, vamos sair dessa numa boa. Todos vão nos respeitar! O Daniel será o juiz da partida". Antes do início do jogo, o diretor disse aos participantes que admirava as três crianças e suas famílias pela forma honrada como haviam corrigido o erro e por sua contribuição à comunidade escolar. Todos aplaudiram.*

## Regras, rotina e estrutura

Em uma casa onde não existem regras, rotina inclusiva ou estrutura clara de papéis e responsabilidades, é muito difícil mudar a situação. Pais e filhos não têm em que se agarrar. Como criar ordem e estrutura se tudo sempre foi vago e fluido? Muitos pais que fizeram nossos cursos ficaram surpresos ao descobrir que a ordem é um processo que se expande quando se cria um núcleo claro. É como a formação de cristais em uma solução líquida: às vezes basta introduzir um elemento cristalizador inicial para que a matéria líquida comece a se organizar. Às vezes, o catalisador do processo é o fato de os pais estabelecerem limites em relação a um comportamento inaceitável. Depois de conversar entre si, eles anunciam qual é o principal comportamento inaceitável a que resistirão com firmeza. Após o anúncio, agem decididamente para concretizar o primeiro "não", o "não" constitucional de sua parentalidade. Aos poucos, fica cada vez mais fácil fazer afirmações como: "Na nossa casa, comemos todos juntos"; "Na nossa casa, TV e celulares são desligados às 23h".

*Durante anos, a família Machado acreditou na espontaneidade e na liberdade na criação dos filhos. O ambiente em casa era harmonioso e positivo. As dificuldades apareceram somente com o terceiro filho, Paulo, que desde pequeno tendia a se isolar da família e a passar todo o tempo livre no quarto. Os pais respeitavam sua independência. Mesmo quando notaram, com tristeza, que Paulo preferia ficar sozinho, permaneceram leais aos seus princípios e o deixaram fazer o que quisesse. Paulo também começou a se ausentar cada vez mais das refeições em família, optando por comer no quarto. Além disso, passou a se atrasar para a escola e às vezes se recusava a frequentar as aulas. Suas notas baixaram. Ir à escola pela manhã foi ficando cada vez mais difícil, e a mãe, que era responsável por preparar as crianças, sentiu-se sobrecarregada e passou a gritar. Aos poucos, a liberdade se tornou sinônimo de anarquia. Após reclamações repetidas da escola sobre os atrasos e ausências de Paulo, os pais decidiram que era hora de agir. Sob a orientação da psicóloga da escola, resolveram fazer um anúncio conjunto para os três filhos. Reuniram todos na sala e informaram: "Decidimos mudar as regras da casa. De agora em diante, vocês não vão mais comer no quarto. Nós vamos nos posicionar firmemente contra esses hábitos. Vamos tomar café da manhã e jantar juntos. Para garantir que todos saiam de casa a tempo, tomaremos o café às 7h15". Os pais se surpreenderam ao tomar essa atitude: nem parecia que eram eles falando. As crianças também ficaram céticas. Antes de dormir, os pais se sentaram com Paulo para arrumar sua mochila. Eles acordaram às 6h45, prepararam o café da manhã e acordaram as crianças. O envolvimento do pai permitiu que Paulo chegasse à mesa a tempo, arrumado e pronto. Foi o primeiro café da manhã em família em muito tempo. Esse gesto tornou-se o cerne da nova ordem, que gradualmente se espalhou para outras áreas da vida familiar. Os pais se sentiram fortalecidos ao impor a regra de não comer no quarto ou em frente à TV. A tendência de isolamento de Paulo não desapareceu, mas hoje ele obedece às novas normas. Os pais ainda dão aos filhos muita liberdade, mas garantem que o espaço pessoal não exista em detrimento da família.*

## AMOR E ANCORAGEM PARENTAL

O título de um dos livros mais conhecidos sobre parentalidade é *Só amor não basta*, escrito por Bruno Bettelheim. Porém, todos sabemos que o amor é um elemento vital do nosso desenvolvimento físico e emocional. Um dos estudos mais importantes sobre o desenvolvimento infantil foi realizado pelo pesquisador René Spitz, que mostrou que crianças criadas em abrigos em condições de negligência emocional sofrem graves danos emocionais e físicos. Pais amorosos são como um porto seguro: transmitem aos filhos a sensação de que sempre encontrarão alívio, incentivo e conforto em seus braços. Dão a eles a segurança emocional que lhes permite explorar o mundo ao seu redor, brincar, aprender e desenvolver sua independência. Essas são as condições básicas para um apego seguro, aquele que dá à criança em desenvolvimento uma sensação de autoestima e a capacidade de se apegar aos outros. Mas, para que ela desenvolva um apego seguro, o amor não é suficiente. Os pais precisam ser não apenas amorosos, mas também fortes o bastante para dar estabilidade à criança e protegê-la dos perigos – tanto os do ambiente quanto os oriundos dos impulsos internos. Um porto seguro não se limita a acolhimento, aceitação e incentivo; ele só será seguro se o navio estiver ancorado. A âncora parental estabiliza e protege a criança em desenvolvimento para que ela não seja levada pela corrente, seduzida por tentações perniciosas ou prejudicada pelos próprios impulsos.

A combinação de amor e força também é fundamental biologicamente, pois as crianças são criaturas vulneráveis. Durante a infância, só conseguem sobreviver apegando-se a uma figura adulta forte, capaz de protegê-las e prepará-las para lidar com os desafios da vida. Uma conclusão importante é que, se a figura parental não for forte o bastante para garantir estabilidade e proteção, o valor do amor dado pelos pais pode ser prejudicado, porque a criança não sentirá que suas necessidades de proteção e segurança estão sendo atendidas. Assim, o amor de pais fracos às vezes acaba desprezado. Esse processo é cruelmente ilustrado pelo exemplo a seguir.

*Alex (15) já foi o queridinho da mamãe. Essa proximidade era expressa de inúmeras maneiras. Sua mãe o beijava, abraçava e acarinhava, e Alex se sentia especial e amado. Chegou a falar com ela em uma espécie de língua particular. A mãe tinha um sotaque polonês pesado e seu português era ruim. Quando Alex falava com ela, naturalmente imitava seu sotaque e seus erros. Não se tratava de zombar da mãe, mas de criar uma proximidade especial com ela. Quando Alex chegou à puberdade, passou a rejeitar a mãe sem nenhum constrangimento. Parou de falar com ela daquela maneira especial, distanciou-se, fez escolhas que ela não aprovava e rejeitava qualquer contato físico, inclusive abraços. Chegava a insultá-la e ridicularizá-la. A mãe sofreu profundamente com a rejeição. Chorou, implorou e entrou em depressão. Isso não só afastava o filho como aumentava sua aversão. Uma vez ela disse, chorando, quanto se sentia traída: "Você costumava ser um filho amoroso. Agora, me sinto uma lata de lixo! Quando tento abraçar você, sinto como se você tivesse nojo de mim!" Alex respondeu com uma franqueza cruel: "Quem quer ser abraçado por uma lata de lixo?"*

Todo mundo entende que as expressões de carinho destinadas a um menininho não são adequadas a um adolescente. Mas exemplos semelhantes de rejeição e escárnio do amor parental também aparecem em crianças menores. Os pais perguntam com espanto: "Onde você aprendeu isso? Nós não agimos assim!" Não é difícil encontrar a resposta: a criança imita formas de falar e de agir daqueles que considera fortes. Ao tentar se parecer com eles, transmite aos pais a seguinte mensagem: "Eu não quero ser fraco". O desafio dos pais nesses casos não é mostrar mais amor à criança, e sim mais determinação para se defender dos impulsos destrutivos. Importam mais a força e a tenacidade da âncora parental que os abraços condescendentes.

**DICAS**

Pergunte a si mesmo:

- Você tende a dar sermão e explicar demais?
- Acaba atraído para confrontos improdutivos com seu filho?
- Seu espaço pessoal, tempo de lazer e relacionamento íntimo sofreram em virtude da ansiedade ou das dificuldades do seu filho?
- Você sabe cada vez menos o que está acontecendo em áreas nas quais seu filho pode se meter em problemas?
- O *smartphone* e o computador tomaram conta da vida do seu filho a ponto de você se sentir excluído?

A resposta ideal para esses desafios é a ancoragem parental. Pais que servem de âncora aos filhos evitam que eles percam o rumo e lhes dão segurança e senso de pertencimento. Assim, o papel de âncora é baseado:

- Na presença – aprenda a agir de forma que transmita a seguinte mensagem: "Sou seu pai/sua mãe. Você não pode me demitir ou se divorciar de mim. Estou aqui para ficar".
- No autocontrole – aprenda a se controlar diante dos conflitos.
- No apoio do ambiente social – assuma responsabilidades e fale com a criança usando "nós" em vez de "eu".
- Em regras estáveis que proporcionam ordem e estrutura claras na vida da criança e da família.

# 2. Autocontrole

Estudos comprovam que o aumento do autocontrole pode melhorar o *status* dos pais e resolver os problemas da criança. Neste capítulo, apresentaremos uma série de táticas que os pais podem aplicar para superar suas reações impulsivas e desenvolver discernimento, paciência e persistência. Veremos como essas mudanças transformam a relação com os filhos e garantem aos pais força, estabilidade e influência.

## VOCÊ NÃO PODE CONTROLAR SEU FILHO, SÓ A SI MESMO

Essa percepção é uma das chaves para melhorar a relação com filhos de todas as idades. Quando as crianças são pequenas, os pais devem impedi-las de fazer movimentos perigosos ou destrutivos, e quanto mais elas crescem, mais difícil isso se torna. A verdade é que desde a primeira infância os pais sabem que não têm realmente controle sobre os filhos, porque rapidamente se dão conta de que não podem controlar seus pensamentos e sentimentos. Aos poucos, entendem também que é difícil controlar seu comportamento.

Por exemplo: às vezes os filhos fazem o oposto do que os pais querem "só para desagradá-los". Essa reação indica o desenvolvimento da autonomia e a aversão natural da criança à coerção. Aqueles que tentam controlar as reações dos filhos, forçando-os a se comportar de determinada maneira, descobrem que, assim que saem de perto deles, agem de modo oposto ao que eles solicitam. Essa inclinação torna-se cada vez mais forte e as tentativas dos pais de controlar os filhos, em particular os adolescentes, quase nunca dão certo. Felizmente, há uma boa alternativa. Trata-se de uma combinação de exemplo pessoal, explicação razoável e firmeza. Ser firme não é o mesmo que tentar controlar. Quando os pais assumem uma posição firme, exercem controle sobre si mesmos, não sobre os filhos. Não se trata de dizer: "Você vai fazer o que eu digo!", e sim: "Eu vou fazer o que eu digo".

A base moral da firmeza é o senso de dever dos pais. Hoje, porém, muitos perderam a capacidade de dizer "é meu dever" em alto e bom som. Aliás, essa frase irrita boa parte deles. "Dever" tornou-se uma palavra impopular e fora de moda. Muitos pais preferem confiar na persuasão, nas recompensas ou até mesmo na sedução. Mas o que devem fazer quando a criança não se convence? Ou quando a tentativa de convencer se transforma em uma discussão sem fim? Para interromper essa dinâmica, os pais precisam ter uma posição clara que não seja abalada por perguntas, truques ou reclamações. Tal posição precisa estar baseada em um senso do dever que reflita a preocupação e a responsabilidade dos pais pelos filhos. A parentalidade é como a matemática: seus axiomas não podem ser questionados. O dever dos pais é o axioma sobre o qual eles constroem relações saudáveis e estáveis com os filhos. Pais que se comportam de forma vaga ou hesitante não dão o exemplo de uma base estável. Quando isso acontece, o navio-família e, especialmente, o barquinho-criança balançam sem uma âncora.

Ao dizer "é meu dever", os pais desencadeiam uma interação muito diferente daquela quando dizem "você vai fazer o que a gente mandar!" Como as crianças buscam naturalmente autonomia, a ordem entra em conflito com o impulso existencial. Muitas reagem como se fossem alérgicas a ordens e instruções. Para certos pais, parece que os filhos gostam de desobedecê-los. De fato, as crianças adoram descobrir que têm vontades independentes e que seus pais não conseguem dobrá-las.

Desde a mais tenra idade, aquelas que resistem aos desejos dos pais exibem três reações típicas: insolência, indiferença e raiva internalizada. A insolência é a resistência explícita que expressa uma rejeição declarada à vontade dos pais. A indiferença é uma forma sofisticada de resistência: as palavras entram por um ouvido e saem pelo outro. Mas a reação mais dura é a das crianças que reagem aos pais voltando-se para dentro, contraindo os lábios e endurecendo o pescoço. Esses gestos indicam raiva crescente e desejo de agir para minar a vontade dos pais – ou até mesmo de se vingar deles por tentarem se impor. Quando transmitimos à criança a mensagem "você vai fazer o que eu mandar", damos a ela apenas duas opções: obediência ou rebeldia. Aquelas que se recusam a obedecer acabam empurradas para a outra opção, isto é, se rebelam. É muito diferente quando o pai diz: "É meu dever cuidar de você". Isso dá à criança uma terceira possibilidade: a cooperação – opção positiva completamente diferente da obediência.

*Márcia brigava todos os dias com a filha Luísa (13) por causa da lição de casa, mas a menina só queria saber das redes sociais. Ela explicou, gritou, ameaçou e puniu. Ameaçou suspender a mesada, sem sucesso. Quando tentou desligar o computador, Luísa reagiu violentamente. Quando ela e o marido nos procuraram, estavam exaustos pelas brigas incessantes e pela recusa de Luísa a atender qualquer pedido ou exigência. O primeiro passo da nossa intervenção foi recobrar o autocontrole de Márcia. Ela aprendeu a se conter e a adiar a reação às provocações da filha. O pai, Ronaldo, firmou uma parceria sólida com Márcia. Ambos entraram no quarto de Luísa e disseram: "Percebemos que você não pode ser controlada. Não podemos controlar sua boca, suas mãos ou suas pernas. Mas podemos nos controlar, e é nosso dever não fazer coisas que prejudiquem você. O acesso irrestrito à internet está prejudicando você. Não podemos lhe dar algo que a destrói". Em seguida, deixaram o quarto. Dois dias depois, Luísa ficou surpresa ao descobrir que o acesso à internet estava bloqueado e o modem do seu quarto desaparecera. Luísa ainda podia acessar a internet na casa de amigos ou, às vezes, no computador do irmão, mas era um inconveniente. A menina reclamou, ameaçou e chorou, mas os pais, que foram treinados para suportar a pressão, mantiveram a palavra. Alguns dias depois, Norma, uma amiga da família que tinha boas relações com Luísa, entrou em cena. Disse à menina que queria encontrar uma solução cooperativa que não ferisse sua dignidade e, ao mesmo tempo, permitisse que ela agisse da maneira correta. De início, Luísa não mostrou interesse. Norma ligou para ela alguns dias depois e enfatizou a questão da dignidade. Dessa vez, Luísa concordou. A menção à sua dignidade lhe mostrou que poderia haver uma terceira opção além da rendição ou da rebeldia. Norma sugeriu que elas se encontrassem alguns dias depois da aula – tanto para diminuir a tensão em casa como para colocar em dia as tarefas escolares. Isso permitiu que Luísa vivenciasse a cooperação e não se sentisse derrotada por se render às exigências dos pais. Alguns dias depois, Márcia lhe disse: "Estamos orgulhosos de você! Sua iniciativa de fazer as lições com a Norma foi um grande passo!" Ronaldo e Márcia concordaram em dois pontos: 1) Luísa voltaria a ter acesso à internet; 2) o pai ligaria para ela diariamente às 16 horas. Ronaldo marcou o compromisso na agenda. Durante as ligações, ele perguntava à filha sobre o dever de casa, mas também lhe dava a oportunidade de planejar o próprio dia. Assim, Luísa sentiu que poderia cooperar mantendo a dignidade. Por um tempo, preferiu fazer a lição na casa de Norma, mesmo quando esta não estava em casa. Depois, achou melhor realizar as tarefas em casa. Márcia, por sua vez, melhorou sua capacidade de resistir às provocações sem se enfurecer. A relação entre mãe e filha melhorou, os confrontos diminuíram e Márcia agora sente que elas podem retomar as atividades conjuntas que costumavam ser agradáveis para ambas.*

Para obter a cooperação de um filho rebelde, os pais devem superar o desamparo e a falta de autocontrole e procurar soluções que respeitem a dignidade da criança. Dadas essas condições, a cooperação aumenta gradualmente, porque a criança deseja mostrar que decidiu cooperar por escolha própria e não porque está obedecendo a ordens.

Mesmo que seja positivo renunciar à ilusão de controle, alguns pais acham difícil fazê-lo. Acreditam que, se a criança não se rende, é porque são fracos. O medo de ser fraco é profundo na psique humana e tem raízes biológicas e culturais. Ao longo da evolução humana, a dicotomia forte-fraco era uma questão vital: os fracos estavam fadados à extinção. É importante compreender a profundidade do desejo de poder para oferecer aos pais uma alternativa convincente, ou seja, poder baseado em autocontrole, firmeza, persistência e legitimidade.

Alguns (geralmente o pai) reagem à necessidade de autocontrole perguntando: "Então, se ela me xingar, devo ficar quieto?" Ou: "Devo deixá-la passar por cima de mim?" Não ignoramos a questão do poder, mas a abordamos com franqueza. Dizemos: "Você será muito mais forte do que é hoje, mas de uma maneira que lhe devolva a estabilidade, o *status* e a importância. Se você demonstrar autocontrole e determinação, seu filho vai sentir que você é forte e não se abala nem diante das maiores ondas".

## O PRINCÍPIO DO ADIAMENTO: MALHE O FERRO ENQUANTO... FRIO

Todos sabemos que, para manter o controle em momentos de raiva, devemos refrear nossa reação instantânea, contar até dez ou repetir um mantra. Se conseguirmos fazer isso, nossa reação será menos extrema e prejudicial. Porém, pouca gente sabe que adiar uma reação impulsiva pode transmitir força. Quando os pais voltam ao assunto problemático mais tarde, mostram que têm memória, que o conflito não foi eliminado e que seu *status* parental se mantém. Às vezes, quando retomam algo que já passou, a criança não se lembra mais ou diz que não sabe do que se trata. Mas os pais se lembram, e isso é uma surpresa para a criança. Algumas até reclamam: "Por que você fica me lembrando disso?" Os pais podem responder: "Claro que vou lembrar, penso em você o tempo todo!" Quando os pais freiam a própria reação, mas voltam ao assunto mais tarde, contribuem com o filho de várias maneiras:

a) *Demonstram autocontrole, evitam que o conflito se agrave e criam condições para que a criança também desenvolva autocontrole*, que é tão contagioso quanto a impulsividade. É difícil gritar, ameaçar e agredir quando o outro não reage da mesma forma. Quando os pais dizem calmamente: "Não aceito o seu comportamento. Vou pensar no que fazer", eliminam a pressão da incitação mútua. Afinal, uma andorinha só não faz verão. O chilique só acontece quando há duas pessoas em cena. Se o outro lado não está assustado e não ataca, a raiva desaparece. Portanto, a criança começa a desenvolver habilidades para se acalmar.

b) *Mostram à criança que estão sempre pensando nela.* As crianças adoram saber que os pais pensam nelas – inclusive entre o momento do confronto e a retomada do problema. Há um significado especial para os momentos em que os pais dizem aos filhos: "Lembra quando fomos pescar juntos?", "Lembra quando compramos esse casaco?", "Lembra quando você lambuzou a cara do papai com chocolate?" A satisfação emocional com essas situações deriva tanto de a criança desfrutar do conteúdo dessas memórias quanto do próprio fato de os pais se lembrarem dela. Mesmo quando falam de comportamentos problemáticos, os pais ainda estão mostrando que pensam nela, o que dá à criança um senso de continuidade. A vida deixa de ser uma coleção de fragmentos desconexos e se torna uma sequência mais contínua. Muitos teóricos têm apontado a importância da formação de uma autoimagem consistente e contínua, em vez de uma visão desarticulada e desorganizada de si mesmo. Crianças que crescem sem a experiência do vínculo e da unificação experimentam a si mesmas e ao mundo caoticamente. Quando os pais se estabilizam, mostram autocontrole e voltam a abordar um assunto difícil após um tempo, ajudam a criança a desenvolver o senso de continuidade, fundamental para o desenvolvimento infantil.

c) Os pais contribuem "emprestando" sua memória e, assim, ajudando a criança a expandir gradualmente a própria memória. É como aprender a andar de bicicleta: um dos pais fica atrás da criança, estabiliza a bicicleta e então a solta – primeiro por uma fração de segundo, depois por um segundo e, em seguida, por alguns segundos. Assim, a criança aprende a se estabilizar dando continuidade à estabilização dos pais. Da mesma forma, os pais podem ajudar os filhos a falar sobre o que aconteceu há um minuto, cinco minutos, meia hora atrás, no dia anterior. Aos poucos, as crianças aprendem a fazê-lo sozinhas.

*Beto (9) sofria de TDAH. Era difícil para ele terminar uma tarefa, porque esquecia o que já fizera e o que ainda precisava concluir. Quando seus pais decidiam evitar o calor da hora e retomar o assunto mais tarde, Beto parecia não se lembrar do ocorrido. No início, eles pensaram que o menino estava fingindo, mas depois se convenceram de que ele não conseguia se concentrar no incidente – em parte porque o confundia com o que havia acontecido depois. Assim, decidiram se adaptar às dificuldades específicas do filho. Primeiro, voltariam ao assunto cinco minutos depois do ocorrido, em seguida dez minutos depois. Em poucos dias conseguiram conversar com Beto sobre algo que ocorrera três horas antes. Para ajudá-lo, recordavam detalhes: "Você pulou no sofá, eu fui até você, peguei na sua mão e pedi que parasse. Você se lembra do que fez então?" Aos poucos, Beto começou a participar da conversa e até mostrou que gostava de completar os detalhes que faltavam. Sua capacidade de se lembrar de fatos diferentes e ligá-los entre si desenvolveu-se um pouco mais quando seus pais fizeram um álbum de recordações, para que pudessem conversar sobre os acontecimentos passados. O álbum continha sobretudo lembranças positivas, mas também algumas problemáticas que Beto conseguira superar. Quando os avós visitavam a família, Beto adorava ver o álbum com eles. Um ano depois, gostava de rever até mesmo as situações problemáticas, porque percebia como havia mudado.*

## O PRINCÍPIO DO AMADURECIMENTO: "NÃO É PRECISO VENCER, MAS PERSISTIR"

Um dos maiores problemas na relação entre pais e filhos é a crença de que os problemas devem ser resolvidos de uma vez. Essa crença nos leva a pensar que, se o problema não foi resolvido, é porque o castigo não foi suficiente. Isso transforma a relação em uma série de confrontos que, além de não atingirem o objetivo, garantem que a próxima batalha seja pior que a anterior.

O princípio do amadurecimento baseia-se na ideia de que as coisas amadurecem aos poucos, sobretudo quando os pais são persistentes. Não se trata da repetição rígida de ações ou afirmações, mas da vontade de continuar procurando soluções, buscar pacientemente melhoras parciais e tornar-se sensível aos menores sinais de mudança.

*Léo cortou relações com a mãe, Simone, após o divórcio dos pais, ocorrido quando ele tinha 13 anos. Foi muito doloroso para ele, pois se desligou de toda a família da mãe, com a qual tinha uma relação próxima e amorosa. Cerca de um ano depois, Simone, que amargava o luto da separação, decidiu romper a barreira de rejeição e apareceu em uma sessão de terapia de Léo – que reagiu com uma explosão de raiva, xingou a mãe e fugiu da sala. O terapeuta precisou fazer um tremendo esforço para restaurar a relação terapêutica. A tentativa da mãe de resolver o problema "de uma vez" provou ser um grande erro. Alguns meses depois, Simone achou que era hora de tentar de novo. Dessa vez, planejou tudo com o ex-marido, Pedro, que sentia que o boicote à mãe era prejudicial ao filho. O terapeuta, tendo aprendido a lição, elaborou um plano gradual e multilateral com os pais. Disse: "Devemos agir com paciência e buscar um 'degelo' gradual e talvez parcial. Qualquer tentativa de obter uma solução definitiva pode nos prejudicar". O primeiro passo foi envolver Simone na vida escolar de Léo. Ela passou a ir com Pedro às reuniões. Léo foi informado e gostou da mudança. Simone passou a lhe escrever e-mails semanais, mas sem tentar convencê-lo a pôr fim ao boicote. O terapeuta recebia cópias dos e-mails e o adolescente foi informado disso. Nessas mensagens, Simone se concentrava nas boas recordações e dava notícias dos avós, das tias e de Biba, a cachorra dos avós que Léo adorava. Apenas uma vez ela fez referência às relações rompidas, desculpando-se por ter aparecido de surpresa no consultório do terapeuta. Admitiu que o constrangera, mas explicou que a dor a obrigara a agir daquela maneira. Aos poucos, o terapeuta passou a conversar com Léo sobre a possibilidade de ele retomar os laços com a família materna. O menino não rechaçou a possibilidade, mas também não mostrou entusiasmo. Algumas semanas depois, a avó lhe enviou um cartão e um presente de aniversário. Pedro lhe entregou o cartão, mas quando Léo se recusou a lê-lo, não tentou persuadi-lo, apenas o colocou sobre a mesa da sala. Alguns dias mais tarde, o cartão desapareceu. Um mês depois, Léo disse ao terapeuta que havia recebido um cartão e um presente da avó. Os sinais de mudança apareceram lentamente, mas os pais e o terapeuta estavam atentos. Os e-mails de Simone ganharam um novo formato: passaram a ser colados em um álbum ao qual outros membros da família adicionavam mensagens, fotos e lembranças. Ao fim de determinada sessão, o terapeuta deixou que Léo ficasse com o álbum na sala de espera. O tio e o avô paternos perguntaram ao menino se ele estaria disposto a se encontrar com a tia materna. Léo respondeu que quando estivesse pronto avisaria. Duas semanas depois, uma agradável surpresa o aguardava: quando chegou da escola, Biba estava esperando por ele na cozinha. Pedro disse que a havia trazido, mas as primas viriam buscá-la. Léo estava muito animado e brincou com Biba até as duas meninas chegarem. Quando as viu, falou com elas naturalmente, como se nada tivesse acontecido. Expandir a relação a toda a família era apenas uma questão de tempo. Gradualmente, o boicote foi vencido pelo amor familiar.*

A persistência parental e a vontade de não deixar escapar nem o menor sinal de mudança são uma fonte especial de força. Ao contrário do autoritarismo, que exige obediência imediata, o princípio do amadurecimento ganha com o tempo. Os pais que o adotam se abrem para mudanças que podem vir inesperada e lentamente. Tais mudanças são muito diferentes da obediência cega. Permitem o início da cooperação e criam condições para que determinados valores sejam internalizados.

## AUTOCONTROLE E ESPAÇO PARENTAL

A fim de desenvolver o autocontrole, os pais devem ser capazes de se acalmar, se recuperar e se preparar. Precisam de proteção e de momentos para refletir. Aqueles que vivem continuamente expostos correm mais risco de sofrer um esgotamento e perder o controle. Por isso, é vital que aprendam a defender seu tempo, seu corpo, sua privacidade, seus relacionamentos, seu trabalho e seu descanso.

A primeira tarefa dos pais que desejam lidar com comportamentos problemáticos na família é entrar em acordo sobre as batalhas que vão lutar. Assim, devem distinguir entre atos a que resistirão inflexivelmente e comportamentos que, embora problemáticos, podem ser abordados de forma mais suave e tolerante. Uri Weinblatt, um dos pioneiros da nossa abordagem, desenvolveu o "exercício das três cestas" para ajudar os pais a estabelecer prioridades. Eles devem imaginar três cestas: uma vermelha, uma amarela e uma verde. A cesta vermelha é para os comportamentos absolutamente inaceitáveis, que serão inflexivelmente combatidos. A amarela é para os comportamentos problemáticos que podem ser abordados com medidas mais suaves – como diálogo, explicações e incentivo. Na cesta verde ficam os comportamentos que eles não apreciam, mas estão dispostos, pelo menos por ora, a ignorar, a fim de concentrar esforços nos comportamentos realmente problemáticos. O exercício tem dois objetivos: 1) levar os pais a conversar entre si e chegar a um acordo e 2) criar uma hierarquia que lhes permita concentrar esforços, em vez de dispersá-los com alvos múltiplos. Em geral, na cesta vermelha ficam, por exemplo, "violência contra os pais ou outros membros da família" ou "invasão do quarto, da cama ou dos estudos dos pais". Cada família prioriza determinados comportamentos, mas a violência contra os pais e outros membros da família não deve ficar de forma alguma na cesta amarela.

Um dos problemas dos pais ao fazer o exercício das três cestas é encher a vermelha com uma infinidade de comportamentos proibidos. Quando advertidos de que isso inviabiliza a missão, argumentam que não podem desistir de nenhum. Dizem em geral: "O quê? Devemos deixá-la dormir sem escovar os dentes?" Ou: "Temos de aceitar se ele não fizer a lição de casa?" Os pais devem entender que a cesta vermelha não abrange todas as suas ações, mas cria uma hierarquia que estabelece contra quais (poucos) comportamentos eles vão travar uma batalha resoluta, em comparação com outros objetivos que serão perseguidos com meios mais suaves. Quando os pais definem um pequeno número de comportamentos (dois ou três) que devem ficar na cesta vermelha, concentram esforços para combatê-los. Aqueles que conseguem se concentrar em algumas batalhas específicas aumentam sua influência em outros assuntos. Já os que pulam de uma proibição para outra arruínam seu *status* e descobrem que cada "não" que dizem é como uma bolha de sabão que estoura assim que é soprada.

O vínculo entre o espaço pessoal que permite aos pais respirarem e a capacidade de fazer algo pelo filho é ilustrado pelas instruções de emergência dadas nos aviões. Os comissários dizem que, em caso de turbulência forte, os adultos devem colocar as máscaras primeiro em si mesmos e depois nas crianças. A razão é óbvia: se tentarem colocar a máscara na criança sem conseguir respirar, ambos padecerão. Assim, no dia a dia, os pais devem primeiro "colocar a máscara de oxigênio em si próprios", a fim de desenvolver o autocontrole e fazer seu trabalho de forma eficaz.

*João (12) era preocupado ao extremo. Experimentava uma ansiedade patológica toda vez que ele ou os pais tinham qualquer dorzinha, antes das provas escolares e ao menor sinal de raiva do pai ou da mãe. Também se preocupava demais com guerras, epidemias e violência. Era o pai, Roberto, quem mais o acalmava. Mesmo sendo muito ocupado, sempre atendia as ligações do filho. Porém, nos últimos tempos tais ligações só aumentavam. João ligava para o pai inúmeras vezes ao dia para tirar dúvidas sobre ameaças improváveis. Roberto começou a ficar nervoso e gritou com o menino algumas vezes. Depois de explodir, tentava se redimir tendo conversas com João que às vezes duravam até tarde da noite. João estava em terapia, mas quando percebeu que o tratamento exigia que enfrentasse ativamente as situações estressantes recusou-se a voltar. Também recusou a medicação, porque leu que as drogas poderiam viciar. Roberto procurou um terapeuta especializado em transtornos de ansiedade infantil. O profissional sugeriu uma experiência: que por um dia ele atendesse todos os telefonemas de João, mas não gastasse mais de um minuto em cada um. Ele também deveria registrar as ligações num papel. Roberto passou o dia no escritório, mesmo não tendo nada para fazer. Toda vez que a conversa se aproximava de um minuto dizia ao filho que precisava desligar. O resultado surpreendeu tanto Roberto quanto o terapeuta: João ligou para o pai 114 vezes! Roberto percebeu que era impossível aliviar as preocupações do filho tentando acalmá-lo. Também entendeu que, se continuasse a responder, os incidentes de raiva e falta de controle só piorariam. Se não conseguisse respirar, seu filho respiraria cada vez menos, pois a ansiedade aumentaria e o sufocaria. Os avós foram chamados e concordaram em ajudar a romper o círculo vicioso de preocupações intermináveis e conversas para acalmá-lo. Pai, mãe e avós disseram a João que a partir do dia seguinte Roberto não estaria mais disponível para atender suas ligações, mas ele poderia ligar para o avô até três vezes por dia. Roberto planejou um dia de trabalho fora do escritório e "esqueceu" o celular em casa. Quando voltou à noite, João chorava amarguradamente. Roberto disse: "Estou orgulhoso de você!" João retrucou: "Orgulhoso por quê? Eu quase morri!" Roberto respondeu: "É exatamente por isso que estou orgulhoso de você. Você sobreviveu!" No dia seguinte, a rotina se repetiu e, quando Roberto chegou em casa, encontrou o filho brincando no computador. Roberto sentiu que aprendera uma maneira importante de ajudar o filho a lidar com a ansiedade.*

## ERROS SÃO INEVITÁVEIS, MAS PODEM SER CORRIGIDOS

A perda de controle é consequência do estresse. Os pais sentem que ficam em segundo plano e perdem liberdade e espaço de manobra. Diante disso, reagem com agressividade. O estresse e o sentimento de urgência diminuem significativamente quando eles entendem que, mesmo que tenham errado, podem corrigir o erro. A possibilidade de se corrigir permite expandir o campo de ação. A noção de tempo muda e eles se sentem cada vez menos presos ao momento.

*Diogo (15) sofria de crises de pânico caracterizados por falta de ar, taquicardia e tremores. Toda vez que sentia que poderia ter uma crise, ligava para casa e pedia que os pais o buscassem. Depois de consultar um terapeuta, os pais, Davi e Marta, decidiram não buscar mais o filho na escola. Quando Diogo ligasse, eles o lembrariam de que deveria ficar na escola, mas poderia ir à sala da coordenadora e esperar ali até se acalmar. A coordenadora e a professora faziam parte do plano para que Diogo tivesse livre acesso à sala, mesmo quando não houvesse ninguém lá. Dois dias após o aviso dos pais, Diogo ligou para a mãe e disse que estava à beira do pânico. Marta repetiu mentalmente que deveria controlar a reação de proteção e disse: "Diogo, mesmo que seja difícil, você vai superar isso. Se precisar, vá para a sala da coordenadora e me ligue de lá em 15 minutos. Tchau". Diogo imediatamente ligou para o pai: "P... p... pai... Eu... Eu não sei o que está acontecendo comigo! Eu não consigo respirar... Eu acho... Acho que é sério... Estou sufocando... Eu..." Davi respondeu: "Diogo, estou indo!" Só no caminho para a escola ele se lembrou do acordo e da sala da coordenadora. O pedido de socorro do filho o fez perder o controle e o levou a sentir que deveria resgatar o menino imediatamente. No caminho para casa, disse ao filho: "Só não conte à mamãe, ela não vai nos perdoar".*

O erro inicial do pai é compreensível. Reagir bem a um nível tão alto de angústia é muito difícil sem que haja um preparo especial. Mas a decisão de esconder o fato de Marta, conspirando com Diogo, foi um grave erro. O elo que Davi criou com Diogo ao dizer "não conte à mamãe" provavelmente enfraqueceu a aliança que estavam tentando construir.

Porém, nessa fase, esse tipo de erro pode ser corrigido. Em nossa abordagem, instruímos os pais de crianças com transtornos de ansiedade a adotar uma atitude simples de reparação. Eles entram no quarto da criança e dizem: "Cometemos um erro hoje e passamos a você a ideia de que não acreditamos na sua capacidade de lidar com a ansiedade. Pensamos nisso e decidimos que vamos agir de forma diferente no futuro. Vamos lembrá-lo do que precisa fazer e não cederemos à sua ansiedade". É claro que é fundamental que quem diga isso seja o responsável pelo erro. Dessa forma, os pais transmitem cooperação, em vez de aumentar o abismo entre eles. O incidente pode ser transformado em um lembrete do compromisso entre os pais. Além disso, eles mostram, pelo exemplo pessoal, que erros e falhas não invalidam o esforço.

**E A CAPACIDADE DE AUTOCONTROLE DA CRIANÇA?**

Crianças que sofrem de transtornos sérios – como TDAH grave, transtornos mentais ou déficit cognitivo – são capazes de se controlar? Será que esses problemas constituem um obstáculo intransponível para o autocontrole?

O autocontrole não é um botão de liga e desliga, mas ocorre em diferentes níveis, dependendo da situação, do tempo, da capacidade e da motivação. A seguir, um exemplo de conversa com os pais de um menino que tem explosões de raiva:

**PAI:** Ele não consegue se controlar. Berra e fica furioso desde bebê!

**TERAPEUTA:** Sem dúvida, ele tem um baixo limiar de frustração e, às vezes, uma provocação mínima pode detonar a explosão. Ele se controla melhor em alguma situação específica?

**MÃE:** Sim. Quando os amigos dele vêm à nossa casa, ele não explode.

**TERAPEUTA:** Como isso acontece?

**PAI:** Eles parecem distraí-lo das coisas que geralmente o incomodam.

**TERAPEUTA:** Então ele pode ser distraído. Esse é um fundamento importante do autocontrole. Como vocês acham que ele se distrai?

**MÃE:** Não acho que seja intencional. Quando os amigos aparecem, simplesmente acontece.

**TERAPEUTA:** Será que nada o incomoda quando os amigos estão em casa com ele?

**MÃE:** Não, é claro que ele fica incomodado. Ele odeia perder. Sempre que perde do irmão, ele tem um ataque. Mas com os amigos, não.

**TERAPEUTA:** Então ele tem a capacidade de distinguir as situações e reagir em conformidade com elas. Esse é outro elemento importante do autocontrole. Há outras situações em que ele tem menos explosões?

**PAI:** Quando está com o tio Maurício, que o leva para pescar. Lá ele se comporta de forma completamente diferente.

**TERAPEUTA:** Ele gosta de pescar?

**PAI:** Adora!

**TERAPEUTA:** A pesca requer autocontrole. Ele parece ter mais habilidades do que pensávamos.

**PAI:** Mas com o tio ele não sofre nenhuma frustração – pescar é uma delícia! Um dia inteiro sem lição de casa, sem precisar escovar os dentes nem tomar banho, sem horários. Se fosse comigo, eu também não perderia o autocontrole.
**TERAPEUTA:** Pescar é um *hobby* cheio de frustrações. Nada acontece durante longas horas. É frustrante quando o peixe escapa ou outro pescador pesca mais do que nós.
**MÃE:** É verdade. Ele costumava ficar muito frustrado quando o tio pescava mais do que ele. Mas aprendeu que é assim que as coisas são e passou a se concentrar mais.
**TERAPEUTA:** Então, em certos momentos, em determinadas situações e quando está motivado, seu filho consegue desenvolver a capacidade de se conter e se controlar. A questão é como fazer isso acontecer na vida cotidiana.

As perguntas essenciais que os pais podem se fazer sobre a capacidade de autocontrole da criança são as seguintes:

- Em que situações ela é mais contida?
- Em que situações é mais impulsiva?
- Quais são os momentos mais tranquilos e os mais problemáticos?
- Com quais companhias ela se comporta melhor?
- Ela já surpreendeu ao passar por uma situação difícil sem explodir?
- Seu comportamento já melhorou por um tempo, após um acontecimento incomum?
- Ela se comporta de forma diferente dependendo do professor?
- Ela explode menos na frente do pai do que na frente da mãe?

Os pais também podem se perguntar se, em determinadas situações, a criança "se permite" abandonar o autocontrole. Por exemplo, quando sente que precisa provar que é mais forte ou quando os pais transgridem uma regra que ela considera sagrada. Às vezes, a criança chega a avisar que está prestes a explodir, o que demonstra que ela de fato controla a própria falta de controle.

*Luciano (8) era um garoto temperamental. Certa vez, depois de brigar com um amigo, entrou como um foguete em casa e bateu a porta. A mãe disse: "Você não precisa ficar tão bravo!" Luciano respondeu: "Mas eu quero ficar com raiva!" Ao relembrar o incidente em um momento de descontração, os pais lhe deram o apelido de "Fúria". Luciano sorriu orgulhoso.*

Esse tipo de recurso altera a percepção da criança, que antes se via incapaz de se controlar. Agora ela se vê como alguém cujo autocontrole é falho, mas pode melhorar em certas condições. Até mesmo uma criança com um diagnóstico psiquiátrico grave pode melhorar seu autocontrole. Imaginemos dois garotos com esquizofrenia, sem dúvida um diagnóstico muito grave. Digamos que eles têm sintomas semelhantes e reagem apenas parcialmente à medicação. Os pais de um deles acham que, por causa da doença, ele não pode atender a demandas ou manter uma rotina normal. Os pais do segundo creem que, apesar da doença, ele é capaz de desenvolver habilidades e melhorar seu comportamento. Os pais do primeiro aceitam todos os seus caprichos e reações porque não acreditam que ele tenha a capacidade de se controlar. Os pais do outro apoiam qualquer sinal de bom comportamento, defendem a si mesmos, protegem a casa contra as explosões do filho e tentam levar uma vida normal. Agora, imaginemos que se passem alguns anos. Encontraremos enormes diferenças entre as duas famílias. Na primeira, a criança e os pais provavelmente estarão em péssimas condições. Na segunda, apesar das dificuldades, o ambiente familiar será seguro e haverá momentos de funcionamento normal e conquistas significativas. A perspectiva futura para ambos os meninos é muito diferente. O primeiro enfrentará uma vida de isolamento e pouca interação; provavelmente será internado. O segundo conseguirá manter uma rotina e relações sociais; talvez até seja capaz de trabalhar. Em muitos casos, conseguirá expressar suas habilidades únicas, apesar da doença. Sua capacidade de autocontrole não era algo dado. Desenvolveu-se gradualmente, graças ao apoio, aos limites e às condições do ambiente familiar.

**DICAS**

- Contenção e autocontrole fornecem força e *status*.
- Evite mensagens como: "Você vai fazer o que eu mandar!" Aprenda a dizer: "Faremos o que dissermos". Ou: "É nosso dever. Nós não vamos desistir de você".
- Aprenda a adiar suas respostas. Quando você volta ao problema horas ou dias depois, mostra ao seu filho que você tem memória, que não desiste e está ao lado dele.
- A expectativa de que os problemas sejam resolvidos de uma vez é uma das piores armadilhas para os pais.
- Aprenda a ver e a valorizar pequenos progressos.
- Pais que recebem apoio conseguem se controlar muito melhor.
- Erros não significam o fim do desenvolvimento do autocontrole. Ao contrário, abrem a possibilidade de reparação. Quem corrige os próprios erros não perde o *status*, muito pelo contrário.
- O autocontrole é contagioso: quando você aprende a se controlar, promove a capacidade de autocontrole da criança.

# 3. Apoio e pertencimento

> "É preciso uma aldeia inteira para educar uma criança."
>
> PROVÉRBIO TRADICIONAL AFRICANO

Como vimos, os pais hoje estão muito mais isolados do que antigamente. O alto índice de divórcios, o enfraquecimento do grupo familiar e a reclusão em apartamentos em cidades anônimas desgastaram a relação interpessoal que outrora proporcionava aos pais apoio e legitimidade. A criação dos filhos ocorre cada vez mais dentro dos limites estreitos do núcleo familiar; o casal e, muitas vezes, pais/mães solo carregam o fardo sozinhos. Pais isolados são âncoras instáveis. Bastam algumas ondas para desestabilizá-los.

Neste capítulo, discutiremos os obstáculos que impedem os pais de buscar e receber apoio. Nosso objetivo é ajudá-los a entender que ao seu redor há apoiadores potenciais que podem auxiliá-los – e a seus filhos – a superar as dificuldades cotidianas. Quando tentam sair da bolha em que estão presos, rapidamente descobrem que há familiares, amigos e outros aliados dispostos a ajudar. Problemas que antes pareciam insolúveis de repente descortinam novas e surpreendentes oportunidades. Além disso, os apoiadores ajudam a criança a voltar a sentir que é amada. Esse é provavelmente o resultado mais benéfico da sua presença.

## O REFLEXO DA PRIVACIDADE: "POR QUE RECORRER AOS OUTROS?"

Inúmeros pais reagem à nossa proposta de buscar apoio dizendo: "Por que recorrer aos outros? Eu deveria resolver meus problemas sozinho". Eles sentem que a busca de apoio vai contra os seus princípios. Na visão idealizada de parentalidade, tudo que é essencial ocorre dentro da relação próxima e no contato direto entre pais e filhos. Segundo o senso comum, se a relação pessoal e íntima for boa, todas as questões serão resolvidas. Por outro lado, se houver um problema no relacionamento, nada vai ajudar. Essa posição pode ser chamada de "religião da intimidade". De acordo com essa crença, uma relação íntima não é apenas o valor supremo, mas também o motivo final e a fonte do bom (ou mau) desenvolvimento da criança. Essa suposição tornou-se base de toda uma geração de pais e psicólogos. Há algum problema com a criança? Há algo errado com a relação emocional entre pais e filho. E como se resolve o problema? É preciso consertar essa relação. Às vezes, a suposição é ainda mais estrita: apenas a relação entre a mãe e a criança é central; todas as outras ocupam uma posição inferior. Até o pai é secundário nessa perspectiva.

Porém, essa visão é errônea. As mães não agem no vácuo. Se não se sentem cercadas por uma rede de apoio, têm dificuldade de dar uma base estável aos filhos. Nesse caso, buscam neles todo o apoio que lhes falta, construindo assim um sistema isolado e fechado, que impedirá o desenvolvimento dos filhos. O envolvimento precoce do pai provou ser uma fonte significativa de resiliência. Em certas situações, os irmãos também desempenham papel fundamental. Por exemplo: no caso de crianças pequenas que perderam os pais no Holocausto, a proximidade de um irmão muitas vezes mitigou problemas de desenvolvimento, de modo que elas cresceram saudáveis, apesar das graves perdas que sofreram. E, como já vimos, o envolvimento de avós, tias e tios pode proteger os jovens da delinquência e de outros comportamentos de risco. A seguir, um depoimento pessoal (Haim Omer):

*Cresci na cidade de São Paulo com pais sobreviventes do Holocausto. A atmosfera em casa era sombria. Minha mãe era depressiva e a relação entre ela e meu pai, problemática. A situação piorou quando, em virtude de uma disputa familiar, eles cortaram relações com a família do meu tio. Na ausência de avós (assassinados no Holocausto), o isolamento familiar era profundo. São Paulo é uma cidade enorme e a família do meu tio morava a duas horas de distância. Mas eu tinha uma enorme necessidade de viver relações que fossem além da minha família nuclear. Quando eu tinha apenas 11 anos, aprendi a fazer a longa viagem sozinho, de ônibus. Comecei a passar temporadas na casa dos meus tios, Jequiel e Marta, e ia até lá toda sexta-feira à noite. Viajei de férias com eles e meus três primos. Eu e a família inteira ganhamos muito com essa relação: fui uma espécie de ponte para renová-la. Acredito que recebi o modelo de relacionamento familiar sólido da família do meu tio. Se não fosse essa experiência, eu não teria estabelecido uma boa família para meus filhos.*

Por várias razões, os pais estão quase sempre em situação delicada: a) as crianças conhecem suas fraquezas e gatilhos; b) elas muitas vezes dão por certo o afeto parental, a ponto de seus esforços serem vistos como banais; c) os pais são extremamente sensíveis aos pedidos de ajuda dos filhos e tendem a correr para resgatá-los, mesmo que eles consigam lidar sozinhos com os problemas. Além disso, muitas crianças, sobretudo na adolescência, sentem necessidade de se afirmar, agindo de maneira contrária ao desejo dos pais. Vejamos algumas perguntas que os pais podem fazer a si mesmos:

- Meu filho consegue me provocar até eu perder o controle?
- Ele sabe me pressionar para me fazer ceder às suas exigências?
- Nosso filho se aproveita das lacunas entre nós?
- Meu filho não dá valor ao que faço por ele?
- Ele chora ou dá outros sinais de sofrimento para nos fazer correr em seu auxílio?
- Sinto que tudo que eu digo entra por um ouvido e sai pelo outro?
- Meu filho me ignora?
- Acho que meu filho é dependente e age como um bebê quando estou por perto?

Em todos esses aspectos, a intimidade especial entre pais e filhos pode levar a resultados problemáticos. Não se trata de aumentar a distância, o que costuma ser difícil para ambos, mas de aumentar a rede de apoio para que outras pessoas entrem em cena quando a relação pais-filho é tão intensa que se torna improdutiva. A parentalidade isolada na bolha pais-filho é mais dolorosa e menos eficaz. Mais dolorosa porque qualquer tentativa de afrouxar o nó e abrir um espaço funcional para ambas as partes pode ser sentida como uma rachadura irreparável. Menos eficaz porque nessas famílias a intimidade e a dependência trabalham contra o processo natural de maturação infantil.

## O FATOR VERGONHA: "A EXPOSIÇÃO LEVARÁ A UMA VERGONHA INSUPORTÁVEL!"

O fator vergonha limita os pais de duas maneiras: eles temem a exposição, que pode colocá-los sob uma luz desfavorável aos olhos dos outros, e têm muito medo de que a experiência da vergonha seja traumática para os filhos. Para lidar melhor com o tema da vergonha, os pais devem entender um ponto importante sobre o papel crucial dessa emoção no desenvolvimento infantil.

A experiência da vergonha é sempre desagradável, mas nem sempre prejudicial. Ao contrário, pode ser fundamental para o senso de pertencimento e o desenvolvimento moral da criança. A diferença entre a experiência nociva de vergonha e a construtiva tem relação com o contexto interpessoal e emocional mais amplo em que a vergonha é vivenciada. Experiências que vêm com mensagens de rejeição e ostracismo são não apenas desagradáveis como prejudiciais. Punições vergonhosas que incluem marginalização, humilhação ou expressões depreciativas transmitem uma mensagem profunda de falta de pertencimento.

Embora se espere que a criança renove seu pertencimento depois de expressar arrependimento, em muitos casos isso não acontece. Algumas se recusam a sustentar o processo humilhante e preferem sofrer quanto for necessário, desde que não tenham de abaixar a cabeça. Outras, forçadas à submissão, nutrem um ressentimento que prejudica tanto seu senso de pertencimento quanto sua lealdade aos valores que seus cuidadores lhes desejam transmitir. É muito diferente quando elas vivenciam a vergonha em um contexto de apoio e inclusão.

Nossa estratégia para enfrentar comportamentos infantis violentos ou autodestrutivos faz uso especial da "opinião pública", mas o "público" em questão é composto por pessoas que têm uma atitude positiva com a criança. Para tanto, ajudamos os pais a criar um grupo de apoiadores composto por membros da família extensa, amigos e, às vezes, outras figuras significativas, como professor, treinador ou padrinho/madrinha.

Quando a criança comete um ato inaceitável (como bater no irmão), os membros do grupo recebem um relatório detalhado. Então, um ou dois entram em contato com a criança e dizem: "Eu sei que você bateu na sua irmã ontem. Eu me importo com você, penso muito em você e tenho certeza de que você consegue controlar isso. Estou disposto a ajudá-lo a evitar tais situações, mas bater na sua irmã é um ato de violência e isso tem de parar".

Essa fala carrega três mensagens positivas: a) de amor e vínculo; b) de confiança e valorização; c) de que há vontade de ajudar. Isso cria um contexto positivo, que ajuda a criança a controlar a experiência da vergonha. A combinação de mensagens de valorização, pertencimento e apoio, ao lado de uma explicação sincera e direta do comportamento-problema, fortalece sua capacidade de tolerar a vergonha.

A compreensão de que a vergonha não é apenas tolerável, mas até mesmo uma experiência vital, ajuda muitos pais a superar a barreira da exposição e pedir ajuda. Contudo, para alguns, expor suas dificuldades mostrará que são incompetentes. Esses pais podem superar a barreira da vergonha aprendendo a pedir ajuda a fim de elevar sua estima, ao invés de reduzi-la. Por exemplo: "Não tem sido fácil dar esse passo e expor nossas dificuldades com a minha filha. Mas minha preocupação com ela me levou a procurá-lo". Um pai que expõe seu problema dessa forma mostra ter vencido a própria vergonha pelo bem da família. Esse é um ato de coragem, não de fraqueza. Outro tipo de fala enfatiza o valor especial do apoiador aos olhos de quem o procura. Por exemplo: "Você sabe que eu não gosto de falar dos meus problemas e, às vezes, tenho dificuldade de pedir ajuda. Por outro lado, se eu escondesse meus problemas de você, estaria ignorando o lugar especial que você tem na vida dos meus filhos". Aqui, o pedido é motivado pelo respeito e pela confiança dados ao apoiador. Essas frases contêm um segredo importante: valorizam tanto quem ajuda quanto quem pede ajuda.

### O MEDO DE PARECER FRACO

Quando pais e professores são instados a pedir apoio, sua reação instantânea é: "A criança vai pensar que sou fraco". Porém, essa visão pode mudar se eles entenderem que o poder refletido por uma mão levantada, um grito ou uma punição intimidadora é menos importante e menos "forte" do que o poder revelado pela responsabilidade. Um poder que diz "nós!" é mais válido e legítimo do que um poder que diz "eu!" Os pais que entendem isso não terão dificuldade de lidar com a resistência da criança quando chamarem os apoiadores. Dirão a ela: "Claro que vou procurar seus avós, tias e tios. Todos nós decidimos que não vamos mais tolerar violência". Ou: "Quando você some de casa, todos nós nos mobilizamos. Jamais desistiremos de você". Essas declarações viram a resistência dos filhos de cabeça para baixo. Em vez de se sentir diminuídos por se expor, os pais sentem orgulho de ser representantes ou líderes de um grupo comprometido a se opor à violência, a condutas destrutivas e comportamentos perigosos. Os pais que agem dessa forma se libertam do contexto de disputa que antes caracterizava sua relação com a criança. Não há nada mais eficaz contra a resistência dela do que a seguinte posição: "Você não sabia? Estamos todos juntos contra a violência".

*Elizabeth, mãe solo, estava completamente exausta da luta com o filho Francisco (11). Quanto mais ameaçava e exigia, mais teimoso e resistente ele se tornava. Às vezes, parecia que ele gostava de discutir com ela só por discutir. Elizabeth não conseguia ver saída para aquele labirinto. Já procurara vários conselheiros e tentara lidar com ele tanto com carinho quanto com severidade. Francisco era resistente à persuasão, ao reforço de bons comportamentos e à sedução, bem como a ameaças e punições. Uma de suas falas favoritas era: "Qual é a pior coisa que você pode fazer comigo?" Nas conversas com um de nossos terapeutas, ela definiu dois objetivos:*

*1) aprender a sair de qualquer disputa de poder; 2) construir um sistema de apoio que lhe permitisse falar e agir como "nós". Para enfatizar o fim de qualquer disputa de poder, Elizabeth compôs com seus apoiadores (seus pais, seus dois irmãos e sua filha mais velha) um certificado que atestava que Francisco era "uma criança invencível. Ele não pode ser derrotado porque é do tipo que prefere morrer a se render". O certificado foi assinado por todos os apoiadores, até mesmo pelo cachorro, que Francisco adorava. O certificado foi impresso em papel especial e pendurado no quarto do menino. Dois dias depois, ele quebrou propositalmente um vaso. Naquela noite, Elizabeth foi ao quarto dele com seus dois irmãos. Todos se sentaram e disseram que ficariam lá até que ele tivesse uma ideia para compensar a mãe pelos danos. Francisco apontou para o certificado e disse: "Nem adianta. Vocês mesmos disseram que sou invencível!" O tio respondeu: "Isso mesmo, você é invencível! Mas todos nós temos o dever de resistir à violência". Fez-se silêncio. Francisco não ofereceu nenhuma compensação porque isso feriria seu orgulho. Porém, dois dias depois os avós o visitaram e disseram: "Não podemos fazer você compensar sua mãe, se não quiser. Mas podemos indenizá-la, simplesmente porque a justiça exige isso. Decidimos rever nossa promessa de lhe dar um novo PlayStation no Natal. O dinheiro será usado para substituir o vaso que você quebrou". Francisco teve a chance de reconsiderar a opção de compensar a mãe, mas se manteve firme. Quando não ganhou o presente no Natal, fingiu que não se importava. No passado, a mãe teria uma discussão fútil com o filho sobre o fato de ele estar se magoando. Dessa vez, evitou comentários. Colocou o novo vaso no lugar do antigo sem dizer uma palavra. Elizabeth relatou ao terapeuta: "Nunca imaginei que ia me sentir tão bem por ter recebido apoio. Não sinto mais necessidade de gritar! Ao contrário, posso falar baixinho porque faço parte de um coro". Mesmo que em nenhum momento Francisco tenha abaixado a cabeça ou expressado arrependimento, seu comportamento mudou. Ele não tinha mais uma parceira de discussões.*

## MEDO DA REAÇÃO DA CRIANÇA

Para algumas famílias, a decisão de contar os problemas da criança, ainda que para pessoas próximas, pode implicar a quebra de um tabu.

Os pais temem que a exposição leve o filho a explosões graves e talvez a sérias crises mentais. Em alguns casos, a criança os ameaça abertamente: "Se vocês falarem de mim, não vão gostar do que vai acontecer".

A seguir, algumas perguntas que os pais podem fazer a si mesmos para refletir sobre seu medo da reação da criança.

**E se meu filho sentir que está lutando sozinho contra todos?**

Esse medo está relacionado com a ideia de que os apoiadores "se unirão" contra a criança. Na verdade, é o oposto. Depois de um fato problemático, apenas uma ou duas pessoas conhecidas se aproximam dela. A abordagem é sempre feita com espírito positivo, como esclarecemos quando falamos da experiência da vergonha construtiva. Nessas condições, há boas chances de que as tendências positivas da criança venham à tona. No fundo, a grande maioria das crianças quer melhorar seu comportamento, mas não sabe como. Até mesmo aquelas que parecem determinadas a manter padrões violentos desejam que seu problema seja resolvido e que novas explosões não mais aconteçam. Isso vale até mesmo para os jovens infratores. No fundo, eles carregam em si uma voz positiva e um desejo secreto de melhorar. Mas a voz positiva tem dificuldade de se impor. Tudo melhora assim que a criança descobre que as pessoas estão dispostas a fazer um esforço por ela – sobretudo quando, em vez de repreender e proibir, se dirigem a ela com respeito.

**E se meu filho ficar furioso comigo?**

O pedido de ajuda dos pais às vezes gera uma reação de raiva. Algumas crianças acusam-nos de traição e violação de privacidade. Há também aquelas que proíbem explicitamente os pais de falar sobre elas com "estranhos". Essas crianças sabem bem que a privacidade é um valor sagrado em nossa sociedade e que a mera menção a ela deixa os pais abalados e os faz desistir da intenção de expor o problema. Os pais devem estar cientes disso e, em vez de cair na armadilha, responder pacientemente: "Esses problemas não são apenas seus, são também nossos". Isso expressa seu direito básico de procurar e receber ajuda. A capacidade de tolerar a raiva da criança por uma suposta violação de privacidade aumenta quando os pais entendem que estão protegendo toda a família. Essa atitude também legitima a seguinte mensagem: "Decidimos pedir ajuda porque estamos todos sofrendo com isso". Ao falar com a criança, avô, tia ou amigo pode dizer simplesmente: "Mas é claro! O problema é de toda a família!" A raiva da criança também se dissipará por outro motivo: uma vez que a situação é exposta, a única coisa que ela pode fazer é se acostumar com a nova situação. Já o apoio é um processo contínuo. A presença benigna do apoiador existirá hoje, amanhã e depois. Aos poucos, o impacto do processo de apoio supera o da exposição. Basta que a criança receba ajuda real para entender que os apoiadores podem beneficiá-la.

**E se meu filho tiver um colapso quando descobrir que seu segredo foi exposto?**

Esse é um dos maiores temores dos pais. Alguns têm medo até mesmo de que a criança tente o suicídio. Muitos acham que a estabilidade mental de seus filhos é frágil e a menor brisa pode derrubá-la. Porém, nossas pesquisas indicam que é o contrário. Envolver apoiadores é uma garantia de melhora do estado mental da criança. Por outro lado, o isolamento e o sigilo em que os problemas são mantidos só contribuem para agravá-los. É importante notar que nas centenas de casos que tratamos não vimos sequer um único caso em que envolver apoiadores provocou crises mentais. Ao contrário, eles são capazes de fazer a criança ou o adolescente superá-las. Obviamente, é importante considerar com cautela o que dizer aos apoiadores e como fazê-lo. É preciso pensar na melhor maneira de abordar temas como sexualidade e orientação sexual. O direito à privacidade nessas áreas deve ser mantido mesmo quando se envolvem apoiadores. Em algum momento, o apoio pode ser necessário para essas questões também, mas é preciso distinguir o papel dos diferentes apoiadores. Às vezes um amigo ou parente pode ganhar a confiança da criança e falar com ela sobre o assunto, mas este não deve ser compartilhado com todo o grupo. Os apoiadores são compreensivos diante de falas como esta: "Há questões íntimas com as quais nosso filho está lutando que ele discute com o tio, em quem confia".

No entanto, gostaríamos de observar uma regra-chave: prejudicar os outros ou a si mesmo nunca é um assunto privado. Qualquer dano a si ou a outros afeta profundamente inúmeras pessoas. Incluem-se nessa categoria casos de violência contra pais ou irmãos e automutilação – seja por corte, dietas perigosas ou outras condutas destrutivas. Nem a ameaça de suicídio, seja expressa ou implícita, pertence à categoria dos fatos íntimos. Ao contrário, trata-se de um ato extremamente violento. Com ele, a criança ameaça destruir não só a própria vida, mas também a dos pais. Quando os familiares são informados sobre o dano ou a ameaça, devem falar com a criança abertamente. Se ela reclamar contra uma suposta violação de privacidade, precisa ser informada do seguinte: "Sua vida e sua integridade física não são assuntos particulares. Dizem respeito a todos os que amam você".

### E se ele fugir de casa ou ameaçar desaparecer para sempre?

A melhor maneira de abordar cenários aterrorizantes é criar um plano de enfrentamento. A criança que ameaça fugir – ou desapareceu antes – requer maior vigilância dos pais e a ampliação do círculo de pessoas a quem eles podem recorrer, se necessário. A preparação para tais situações fortalece significativamente a presença dos pais. Sua capacidade de buscar ajuda e entrar em contato com aqueles que conhecem a criança (amigos, pais de amigos, professores, treinadores) os liberta da sensação de estar presos numa bolha. Para se preparar para a possibilidade de fuga, os pais reúnem com antecedência uma lista de nomes e números de telefone de amigos da criança e outras figuras importantes para ela.

## A BARREIRA DA SOLIDÃO: "NÃO TEMOS APOIO"

Muitos pais reagem à sugestão de criar um grupo de apoio dizendo que não têm ninguém que os ajude, situação comum na contemporaneidade. Mas a solidão não é apenas uma situação objetiva: é também um hábito e uma mentalidade. Em nossa experiência, muitos dos que achavam que não tinham potenciais apoiadores ficaram surpresos ao descobrir o contrário quando se atreveram a testar os limites de sua solidão com perguntas simples.

**Os membros da minha família estão nessa lista? Pedi ajuda a eles?**

Muitas vezes, a resposta inicial a essa pergunta indica as supostas barreiras. Por exemplo: "os avós moram longe", "os avós são idosos/doentes/ansiosos", "minha relação com meus irmãos não é próxima", "o tio é antiquado; se soubesse o que está acontecendo, ficaria muito bravo", "nossos amigos já têm os problemas deles".

Esses obstáculos não resistem a uma análise séria, sobretudo quando se trata de envolver os avós. Assim, morar longe não é um obstáculo intransponível porque a comunicação digital reduz distâncias. Às vezes há contato frequente e até diário com os avós, mas os pais nunca pensaram em usar essa relação para lidar com os problemas. O fato de não envolver os avós aumenta a distância emocional e encobre o valor real da relação, o que torna as conversas superficiais e insignificantes. Os avós recebem uma imagem falsa da família e, dessa forma, os pais os excluem de papéis tradicionais que poderiam dar significado à vida deles. Isso vale também para reservas relativas a idade, doenças ou tendência a se preocupar. O desejo de poupar os avós de preocupações não os beneficia – ao contrário: ao ser mantidos na ignorância, sua consciência é totalmente preenchida pelas doenças ou pela velhice.

*Pedro (12) tendia a isolar-se, muitas vezes recusando-se a sair do quarto por dias seguidos. Os pais estavam relutantes em envolver o avô de Pedro, Manoel, porque ele tinha problemas de coluna. Antes, Pedro adorava assistir a jogos de futebol com o avô, mas isso se tornou cada vez menos frequente à medida que ele se isolou. Os pais decidiram contar aos avós sobre a mudança de comportamento de Pedro e sua preocupação com ele. Manoel passou a mandar mensagens para Pedro durante jogos importantes, enquanto cada um o via em sua casa. Algumas semanas depois, Pedro visitou o avô e eles assistiram a uma partida juntos. Logo depois entrou para um time de futebol. O avô começou a ir aos jogos de Pedro, apesar das dificuldades de locomoção. Obviamente, todos ganharam com o apoio do idoso.*

Tios, primos e amigos dos pais muitas vezes se tornam valiosas fontes de apoio. O fato de estarem envolvidos e ajudar serve para restaurar a coesão familiar. Primos, sobretudo os mais velhos, desempenham papel semelhante ao de irmãos mais velhos. Às vezes os pais ficam surpresos quando descobrem que os primos estão dispostos a dedicar tempo e atenção aos seus filhos. É importante entender que a ajuda necessária não precisa ser intensiva. Às vezes basta estar disposto a convidar os primos uma ou duas vezes por mês para passar um tempo juntos. Em inúmeros casos, os pais encontram um primo disposto a ajudar em uma área específica, como lição de casa ou prática de esportes. Por vezes, os tios decidem levar os sobrinhos em viagens de férias. Tudo isso pode mudar profundamente o senso de pertencimento familiar.

**Tenho um bom relacionamento com o professor? Ou com alguém do corpo docente da escola?**

Os pais não costumam pensar nos professores como apoiadores potenciais. Hoje, a postura comum em relação a eles é de crítica. Quando a criança tem problemas na escola, as relações entre pais e professores podem se deteriorar com acusações mútuas. Isso prejudica a todos. Quanto mais desvinculados estiverem a escola e o lar, menos consistente e coerente será a vida da criança.

Quando a relação com a escola melhora, os problemas acadêmicos diminuem e o *status* e a influência dos pais se fortalecem, porque a criança percebe que os pais estão mais envolvidos e informados. A autoridade dos pais reverbera a do professor, e vice-versa. Quando os pais ficam a par de coisas básicas, como detalhes do material escolar, lição de casa, projetos em sala de aula e situação relacional da criança, sua presença na consciência do filho se amplia. Por outro lado, quando a criança desaparece do radar parental por falta de coordenação com os professores, a presença dos pais se deteriora. Sempre que pais e professores cooperam, a criança sente que as duas partes estão cuidando dela juntas.

**Conheço os amigos e os pais dos amigos do meu filho? Tenho contato com pelo menos um deles?**

O anonimato e a reclusão são dificuldades da sociedade moderna. Às vezes, a casa dos amigos é vista pelos pais como um mundo desconhecido. Eles não se sentem à vontade para se aproximar, como se contatar os pais dos amigos de seus filhos fosse uma violação de leis não expressas. Diversos pais têm dificuldade até mesmo de iniciar uma conversa breve com os amigos dos filhos quando os recebem em casa. Algumas crianças optam por "blindar" os amigos. Assim que entram, os colegas são "contrabandeados" para o quarto. Enquanto os pais se resignarem a essas proibições tácitas, permanecerão excluídos do mundo social da criança e alheios às influências que elas recebem.

Os pais costumam reagir positivamente à sugestão de se aproximar dos amigos dos filhos e de seus pais, pois entendem que faz parte do seu papel. O próprio fato de a criança tentar evitar esse contato é um sinal de alerta. A capacidade de conversar com os amigos e os pais deles é fundamental por várias razões: a) permite avaliar se a criança tem companhias problemáticas; b) traz à luz planos e atividades; c) ajuda a coordenar atividades, saídas, programas conjuntos etc.; d) permite procurar a criança se e quando ela tentar evitá-los; e) promove a coordenação entre os pais; f) aumenta a legitimidade das decisões, sobretudo aquelas tomadas junto com outros pais.

*Carla notou que Vivi (13) voltou cheirando a cigarro e álcool de uma festa na casa de um colega de classe. Ela estava preocupada com o novo grupo de amigas da filha, porque sentia que a estavam levando a se comportar mal. Carla aproveitou uma reunião de pais e mestres para contatar duas outras mães, compartilhar suas preocupações e trocar telefones com elas. As três decidiram cooperar para descobrir mais e, se necessário, intervir para evitar o tabagismo e o consumo de álcool nas festas. Carla falou com os pais do colega em cuja festa Vivi provavelmente havia fumado e bebido. Os pais disseram que chegaram tarde naquela noite e descobriram que as crianças haviam pegado uma garrafa de uísque do armário de bebidas. O grupo então decidiu conversar com os filhos sobre a descoberta e a coordenação entre eles. Disseram aos filhos que tinham decidido verificar com antecedência cada atividade social, falar com os pais anfitriões e combinar maneiras de garantir que não haveria bebidas alcoólicas nem cigarros nas festas. O grupo entrou em contato com vários pais de alunos para compartilhar seus planos.*

Os pedidos aos apoiadores são modestos e cada apoiador ajuda da maneira que pode. Aos poucos, fica claro que alguns desempenham um papel mais central, enquanto outros acompanham o processo de longe. Mas o fato de saberem – e de a criança saber que eles sabem – muda o contexto, pois o isolamento e o sigilo são campo fértil para diversos problemas comportamentais. Assim que tais problemas são expostos, a situação muda.

## COMO CRIAR UM CÍRCULO QUE DÊ À CRIANÇA A SENSAÇÃO DE PERTENCIMENTO?

Uma das principais contribuições de uma rede de apoio é dar à criança um senso de pertencimento. As melhores redes são aquelas que fazem um convite carinhoso. É claro que não se trata de um convite formal, mas de uma atitude que reforça a sensação de pertencimento. As ações dos pais e apoiadores dizem a ela: "Nós nos preocupamos com você", "Estamos com você", "Você mora no nosso coração", "Pensamos em você o tempo todo", "Você não está sozinha". Ainda que demonstre ignorar essas mensagens, a criança nunca fica indiferente a elas. Aos poucos, o convite carinhoso faz efeito. A mudança não é evidente de imediato: chega primeiro com hesitação, depois mais e mais plenamente. Para os pais também é um processo difícil, mas, quando percebem que recrutar apoiadores é um passo positivo, as ressalvas diminuem. A seguir, princípios e mensagens que fortalecem o aspecto positivo de envolver apoiadores.

### "Temos nossa própria tribo"

Pais isolados não conseguem nutrir a necessidade de pertencimento da criança. Ao contrário. À medida que ela cresce, aprende a ler o mapa social e a avaliar a qualidade das relações, bem como a posição das pessoas ao seu redor. Analisa o relacionamento dos pais e o ambiente próximo e tira conclusões sobre a posição deles. Quando percebe que os pais estão isolados, eles perdem *status*. Às vezes a solidão parental empurra a criança para fora, em um desejo de distinguir-se deles e adquirir um pertencimento significativo para si. É uma regra cruel, mas o ímpeto existencial que leva muitas crianças a segui-la é compreensível. Isso muda quando o pai/mãe sai de sua reclusão e recebe amplo apoio. Quando pais e apoiadores começam a falar a língua do "nós", a criança recebe a seguinte mensagem: "Temos nossa própria tribo". E, aos poucos, entende que o panorama mudou. Depois disso, é mais difícil ignorar os pais, já que agora eles têm o auxílio dos apoiadores. Muitos ficam surpresos ao descobrir que, mesmo que o filho reclame, começa a respeitá-los.

Uma pesquisa realizada em nossa clínica mostrou que os pais solo, precisamente os que mais precisam de apoio, são os que têm mais resistência à ideia de recrutar apoiadores – talvez porque estejam mais acostumados a agir sozinhos. Na verdade, alegam que recorrer a outras pessoas contradiz sua estratégia parental. Acreditamos que essa posição passa ao largo de uma verdade simples: pais isolados arriscam-se a não ser vistos pela criança como um porto de pertencimento. Ela até pode permanecer dependente desse(a) pai(mãe) em virtude de necessidades concretas, mas cada vez menos o(a) vê como autoridade, guia e fonte de valores. Uma paciente expressou a situação com palavras especialmente cruéis: "Tudo que fiz foi porque não queria ser solitária como a minha mãe".

Isso muda quando os apoiadores dizem à criança: "Quando sua mãe nos procurou, entendemos que ela merecia todo o apoio possível".

Ou: "Concordamos com seus pais sobre esse assunto". Tais mensagens mostram que os pais não só se atreveram a romper a solidão como foram considerados dignos de apoio. As crianças são sensíveis ao que acontece ao seu redor. Portanto, quando um pai/mãe recebe amplo apoio, seu *status* se inverte.

**Reduzir as mensagens de controle abre caminho para renovar o pertencimento**

É importante pavimentar o caminho para promover a vontade de pertencimento da criança. As mensagens de controle fazem exatamente o oposto. Quando ouve algo autoritário como "se você não obedecer...", a criança sente vontade de reagir com desobediência. Ela procurará seu senso de pertencimento em outro lugar. Frases como "você vai fazer o que eu mandar!" dão a muitos adolescentes a sensação de que não têm escolha a não ser resistir com toda a força. É muito diferente quando os pais, com a ajuda dos apoiadores, dizem: "Vamos fazer o que nós dissemos". Tal mensagem atinge dois objetivos: fortalece a posição parental e diminui a resistência interna que a criança precisa superar a fim de pertencer. Ela descobre que pertencimento não é o oposto de autonomia e que cooperação não é sinônimo de rendição.

*A vida na casa de André (15) se tornou impossível em virtude de sua agressividade contra as irmãs. Durante um conflito, ele xingou uma delas e o cunhado lhe deu um tapa na cara. Depois disso, André comunicou aos pais que, toda vez que o cunhado aparecesse, ele sairia. O pai, Mário, foi enfático: "A casa é minha e eu convido quem eu quiser". André reagiu batendo a porta e sumindo por dois dias. Pai e filho começaram uma disputa de poder, e cada pequena concessão era considerada uma rendição insuportável. Informado da crise, o irmão de Mário ligou para André e disse: "Passe aqui no fim de semana. Nós dois vamos dar uma volta e procurar uma maneira honrada de resolver o problema que você teve em casa". André respondeu: "Não quero fazer parte de uma família que está disposta a conviver com alguém que me bate!" O tio argumentou: "No fim de semana você vai pertencer a nós. Ficaremos felizes em abraçá-lo". André sentiu que no convite do tio havia o respeito e o senso de pertencimento de que precisava. Após o fim de semana na casa dos tios, André recebeu convites de outros familiares. Ele aceitou vários deles, embora os parentes lhe dissessem claramente que estavam agindo de acordo com seus pais. Alguns lhe afirmaram: "Todos nós, e especialmente seus pais, acreditamos que você e suas irmãs merecem se sentir seguros em casa". André se sentiu abraçado e apoiado. Os pais começaram a visitá-lo quando ele estava com outros familiares. O clima aos poucos serenou. Dois meses depois, na casa dos pais, ele se sentou à mesa ao lado do cunhado. Seu comportamento desrespeitoso em relação às irmãs mudou muito.*

## Os adolescentes ouvem melhor quando os apoiadores entram em cena

Muitos pais, sobretudo os de adolescentes, percebem que os filhos começam a duvidar de suas posições e orientações. Isso deve ser visto como parte do desenvolvimento natural. Enquanto as crianças pequenas procuram os pais para obter respostas para cada pergunta, os adolescentes não querem mais depender apenas deles: buscam outras fontes de conhecimento e orientação.

Na verdade, desde pequena, a criança se beneficia de um ambiente que ecoa e enriquece as palavras dos pais. Por exemplo, quando um tio conta ao sobrinho como aprendeu certas coisas com o pai ou a mãe do menino, ele se sente parte de uma comunidade familiar que transmite conhecimento e sabedoria. Processo semelhante ocorre quando um amigo ou familiar diz algo especial à criança sobre seu pai ou mãe. De repente, os pais deixam de ser as figuras isoladas e irritantes com quem a criança se choca todos os dias e adquirem novas nuanças. Vejamos mais um depoimento pessoal (Haim Omer):

*Durante a adolescência, distanciei-me dos meus pais. Todas as minhas preferências e escolhas eram "anti", tanto que fiquei encantado por certas posições ou opiniões simplesmente porque eram opostas às deles. Seguindo meu forte desejo de independência, mudei-me para Israel sozinho aos 18 anos. Alguns meses depois, meu tio visitou o país e passei muitas horas com ele. Na ocasião, ele me contou como ele, meu pai e minha mãe fugiram da Polônia depois da Segunda Guerra Mundial. Os três tiveram de viajar por cinco países até encontrar refúgio na Itália, onde permaneceram dois anos. Segundo meu tio, meu pai conseguiu superar diversos obstáculos no caminho com astúcia e ousadia dignas de um filme de aventura. As histórias do meu tio eram especialmente importantes para mim, porque ele nunca as exagerava ou embelezava.*

*Alguns meses depois, meu pai me levou à Europa. Passamos as duas semanas mais íntimas de toda a nossa vida juntos. Ali comecei a ver meu pai com novos olhos. Em Paris, ele me levou ao Lido, uma casa de espetáculos muito famosa, mas não pudemos entrar porque eu não estava de gravata. Era tarde da noite e não havia lojas abertas. Meu pai se afastou, tirou o cinto da minha capa de chuva e amarrou-o graciosamente no meu pescoço. Quando entramos no Lido e passamos pelo mesmo porteiro que antes nos impedira de entrar, meu pai perguntou-lhe em francês: "Não é uma gravata bonita?" O porteiro sorriu concordando (ele certamente notou que se tratava de um acessório fora do padrão). Talvez eu não me lembrasse desse episódio tão claramente se não fossem as histórias do meu tio sobre a capacidade do meu pai de sair de situações difíceis.*

*Mais tarde, durante a nossa viagem, tive mais surpresas. Na Itália, eu o ouvi falar italiano de forma diferente com pessoas diferentes. Quando o questionei, ele me explicou: "Eu estava falando napolitano com aquele, dialeto de Bari com aquele outro e italiano simples com os demais". Aquilo me soou familiar: meu tio me contara que no campo de concentração meu pai aprendera línguas e dialetos de lituanos, ucranianos e até mesmo algumas frases em húngaro e fez um grande esforço para memorizá-los, a fim de fazer pequenos acordos que foram fundamentais para sua sobrevivência. As histórias do meu tio me permitiram ver meu pai de um novo ângulo. Nessa viagem juntos, os atos dele se ligaram às histórias do meu tio, criando uma base de afeto que permaneceu em mim até bem depois da morte dele.*

Os adolescentes ouvem melhor os outros do que aos pais. Quando os apoiadores falam com eles, suas palavras estão vinculadas às dos pais, mas não são idênticas a elas. Essa mistura de diferença e semelhança torna os apoiadores especialmente relevantes. Não enfraquece a voz parental, mas cria nuanças e caminhos que podem despertar interesse e provocar impacto.

## DE VOLTA AO PRINCÍPIO DO ADIAMENTO: DAR AO FILHO UM TEMPO PARA SE RECUPERAR

O princípio do adiamento (malhar o ferro enquanto... frio) proporciona autocontrole, previne conflitos e fortalece os pais, mostrando à criança e a eles mesmos que eles têm memória. Além disso, pais que conseguem dizer calmamente "você não precisa responder agora, pense um pouco" dão à criança uma pausa para repensar seus atos e expressar as vozes positivas dentro dela. Ao lhe dar esse momento, afastam a raiva que está bloqueando o caminho para uma reação positiva. Por outro lado, quando fazem exigências definitivas – como "admita que mentiu!", "limpe agora!" ou "peça desculpas à sua irmã!" –, levam a criança a se sentir obrigada a negar, mesmo que seja punida.

No entanto, a pausa não é suficiente: a criança precisa de ajuda para dar um passo na boa direção. É aqui que os apoiadores têm papel significativo. Quando o avô ou o amigo da família entra em contato com a criança no dia seguinte para dizer que sabe o que aconteceu e se oferece para ajudá-la a encontrar uma solução digna, as chances de uma reação positiva são maiores. Se a criança se recusar (para muitas delas, é questão de honra), o apoiador pode dizer: "Você não precisa me responder agora. Saiba que podemos pensar juntos numa solução que respeitará sua dignidade. Espero que você pense nisso". Isso faz a criança refletir e a barreira da honra diminui. Além disso, a entrada em cena do apoiador reforça a vontade de pertencimento: agora a criança pode se sentir acolhida pelo avô ou padrinho. Em geral, é mais fácil aceitar essa abertura do que aquela oferecida pelos pais. Graças ao apoiador, a criança reingressa na rede familiar pelas beiradas e não de frente. É como se quisesse entrar na festa sem ser notada. Mas, uma vez lá, torna-se parte da celebração.

*A expressão favorita de Bruno (11) era: "Não é justo!" Ele sentia que os pais preferiam sua irmã, Sandra (9), e vingava-se sempre que podia. Quando os pais o repreendiam ou castigavam, ele fazia ouvidos moucos e guardava rancor. Os pais pisavam em ovos e muitas vezes preferiam ignorar sua implicância com a irmã. Alice, tia de Bruno, tinha uma relação especial com ele. O menino ficava feliz com as visitas e os passeios que faziam, mesmo que ela sempre levasse Sandra também. Nessas ocasiões, ele raramente demonstrava inveja da irmã. Os pais procuraram terapia e fizeram um "anúncio"*[1] *a Bruno: disseram que tinham decidido resistir aos seus ataques a Sandra e a eles. Após a mensagem, Bruno se conteve por alguns dias, mas voltou a implicar com Sandra. À noite, os pais entraram no quarto de Bruno e disseram que ele tinha de compensar Sandra por agredi-la. E completaram: "Não esperamos que você decida agora. Pense nisso no seu tempo livre". Como de costume, Bruno reclamou que os pais eram injustos, mas eles não entraram na discussão. No dia seguinte, Alice o chamou para almoçar. Bruno ficou feliz, especialmente por ter sido convidado sem a irmã. Pouco tempo depois, a tia lhe disse: "Como você pode imaginar, seus pais me contaram o que aconteceu. Você sabe que sou muito justa com você. O que vou lhe oferecer é uma maneira de você ser justo comigo também. Por que comigo? Porque vocês dois são meus sobrinhos e, quando você magoa a Sandra, me magoa também. Vamos pensar juntos numa maneira de você fazer algo bom para a Sandra, respeitando a sua a dignidade e sendo justo comigo". Bruno ficou em silêncio. Era difícil para ele continuar a conversa. Alice lhe disse: "Eu não quero uma resposta agora. Tenho uma ideia para que a sua dignidade não seja desrespeitada. Mas falaremos disso mais tarde". Depois de despertar a curiosidade do sobrinho, Alice o levou à cozinha e lhe ofereceu as famosas cocadas que as crianças tanto adoravam. Para alguns pais, talvez pareça que Bruno foi*

1. O tema dos anúncios será discutido no Capítulo 5.

*premiado por seu mau comportamento. Porém, o objetivo da intervenção não era recompensar e castigar, e sim facilitar um ato de reparação para Sandra e dar abertura para que Bruno ampliasse seu senso de pertencimento à família. Mais tarde, Alice fez a oferta: ambos entrariam no quarto de Sandra e Bruno lhe daria cocadas reservadas especialmente para ela, junto com uma cartinha na qual ele se desculparia por ter sido tão injusto. Alice assinou a carta como testemunha, o que facilitou muito para Bruno. No dia seguinte, o pai disse a ele que estava muito impressionado com seu senso de justiça e com sua reação. Isso transformou a ideia de justiça em um conceito unificador na família.*

## GESTOS DE RECONCILIAÇÃO E VÍNCULO

Gestos de reconciliação e vínculo contribuem para a recuperação da relação entre pais e filhos, que às vezes se torna restrita por conflitos recorrentes. A eficácia desses gestos aumenta muito quando apoiadores estão envolvidos no processo, pois eles validam e enfatizam a importância dos pais.

*Helena (7) desafiava repetidamente os pais, recusando-se a atender a todos os seus pedidos. Aprontar-se para a escola era uma tortura. Os pais estavam habituados a preparar-se para uma luta difícil. Aos sábados de manhã, rezavam para que Helena acordasse um pouco mais tarde a fim de desfrutar de uma horinha de descanso. Para sair daquele labirinto e arejar a relação que se restringira cada vez mais, os pais decidiram fazer um "álbum da menina boazinha". Trata-se de um gesto planejado para lembrar pais e filhos dos bons aspectos do caráter de cada um e da própria relação. Os pais preenchem o álbum com histórias e fotos de ocasiões agradáveis, desenhos da criança ou lembranças de suas características positivas. Os membros da família extensa são convidados a contribuir com o álbum, que fica sempre em um lugar central da casa. Helena reagiu com entusiasmo à ideia, sobretudo quando seus avós, tios e tias pediram para ver o álbum e acrescentaram informações. A dedicação ao álbum foi positiva tanto para Helena quanto para os pais. Eles deixaram de vê-la sob a luz estreita dos confrontos e passaram a enxergá-la como alguém que é bem mais do que a soma de suas dificuldades. Um dia, a mãe surpreendeu-se ao comentar com o marido: "Talvez não seja só o álbum da menina boazinha! É também o álbum da mãe boazinha, porque ele me mostra que não sou só uma pessoa raivosa e brava".*

*João (13) estava jogando um* game *violento no computador quando a mãe, Marisa, bateu na porta. João gritou impaciente: "O que você quer? Estou ocupado!" – e continuou atirando nos inimigos. Marisa respondeu através da porta: "Trouxe um pedaço do seu bolo preferido!" Sem parar de atirar, João gritou: "Não preciso de nenhum favor seu!" Marisa, que se preparou com antecedência para a possibilidade de rejeição, respondeu: "Fiz o bolo porque sou sua mãe. Vou deixar no forno..." E assim fez. João continuou ignorando a mãe e, por orgulho, não tocou no bolo. Uma semana depois, Marisa repetiu o gesto. O tio de João lhe fez uma visita e lhe perguntou: "Posso comer o bolo que sua mãe fez para você? É irresistível!" O dilema do menino aumentou: por que os outros podiam se deliciar com o bolo da mãe e ele não? João comeu um pedaço com o tio. No dia seguinte, os avós apareceram e lhe perguntaram: "Sobrou um pedaço do bolo da paz da sua mãe ou você comeu tudo?" João disse: "Não só eu, o tio Mário também comeu". Os avós riram e João sorriu. O avô comentou: "Agora é a sua vez de mostrar nobreza. Vou comprar pizza para todos e você vai perguntar a sua mãe e ao seu irmão que sabor eles querem. Vamos buscar a pizza juntos".*

### AFIRMAÇÕES QUE AUMENTAM O DESEJO DE PERTENCIMENTO DA CRIANÇA

Ao longo dos anos, coletamos inúmeras declarações de pais de crianças que se entrincheiraram em posições de rejeição ou boicote. Em muitos casos, as mensagens eram transmitidas por apoiadores, sobretudo porque as crianças não estavam dispostas a recebê-las dos pais. Às vezes eles deixavam um bilhete na escrivaninha do filho. Mais tarde, um dos apoiadores dizia a ele que tinha conversado sobre aquilo com os pais. Isso dá aos gestos parentais de vínculo e pertencimento um *status* semipúblico. Os exemplos a seguir tornaram-se um modelo para muitos pais que usaram fórmulas parecidas ou desenvolveram outras versões a fim de expressar mensagens semelhantes.

a) Mensagens de lealdade e dedicação: "Eu sou seu e sempre serei seu pai" • "Se você estiver com problemas, farei de tudo para ajudá-lo" • "No fundo, tenho certeza de que se eu ou a vovó estivéssemos em apuros você ia nos socorrer".
b) Mensagens de agradecimento e orgulho: "Estou orgulhoso da sua coragem!" • "Mesmo quando você briga conosco, fico impressionado com a sua capacidade de aguentar o baque!"
c) Manifestações de pertencimento: "Vou fazer de tudo para mostrar que você tem uma casa, que você tem um lugar seguro e pertence à nossa família" • "Nesta família é 'um por todos e todos por um'! Sei que se um de nós estivesse em perigo você nos mostraria o seu valor".
d) Expressões de fé e esperança: "Acredito em você e na sua capacidade de superar isso" • "Já vi você resolver problemas maiores! Talvez você não se lembre, mas eu me lembro!"
e) Expressões que abrandam as mensagens de controle: "Todos gostaríamos que você voltasse a falar com sua mãe, mas ninguém pode obrigá-lo" • "Ninguém pode forçá-lo a se sentir parte da família" • "Não vamos pressioná-lo. Talvez demore até você sentir que a nossa relação pode melhorar".

Mensagens de pertencimento são um "convite permanente" que possibilita à criança reagir se e quando estiver pronta. Envolver apoiadores amplia a chance de resposta, em parte porque a criança pode optar por responder por intermédio deles – ou mediada por eles – sem sentir que está desistindo da posição de honra em que está entrincheirada.

**DICAS**

- Observe sua tendência a guardar segredos e manter a discrição acima de tudo.

- A criança pressiona você a não contar a ninguém as coisas que ela faz? É importante deixar claro que isso vai mudar.
- Procurar ajuda não é fraqueza! Seu filho merece pais dispostos e capazes de receber ajuda, em vez de se fechar em si mesmos.
- O direito à privacidade depende de seu uso legítimo. A criança que usa a privacidade para correr riscos ou ferir os outros ou a si mesma perde esse direito.
- Compartilhar problemas com avós, tios e amigos próximos não os sobrecarrega. Pelo contrário, honra-os.
- Até mesmo a ajuda limitada pode ser significativa. Uma visita ou um telefonema prova que você não está mais sozinho(a).
- Se você teme que a criança seja prejudicada por sentir vergonha, certifique-se de criar uma situação em que a revelação seja acompanhada de uma expressão de carinho, amor, confiança e disponibilidade para ajudar.
- A frase "não temos ninguém para nos ajudar" é mais provavelmente um reflexo do isolamento e da mentalidade de reclusão do que uma realidade.
- É importante atualizar sua lista de contatos, incluindo pessoas que moram longe. Ninguém é uma ilha.

# 4. Presença

Para lidar com os muitos desafios da parentalidade no século 21, os pais precisam de um senso de direção, uma bússola interna, um princípio norteador. Caso contrário, perdem-se no caminho no labirinto interminável da vida moderna e não conseguem dar segurança aos filhos. Sem um senso claro de direção, balançam de lá para cá e aumentam a deriva que afeta constantemente a vida das crianças. Criamos o conceito de "presença parental" para dar a eles uma posição e uma direção. Pais presentes transmitem uma mensagem inconfundível: "Estou aqui e vou ficar aqui. Você não pode me demitir nem se divorciar de mim".

A presença dos pais pode ser física e mental. A presença física é perceptível sobretudo nos primeiros anos de vida, quando eles atendem a todas as necessidades concretas e existenciais dos filhos. A partir da infância, a presença física é gradualmente substituída pela mental. Quando essa transição é bem-sucedida, os pais continuam a servir como fonte de direção, valores, segurança e estabilidade para a criança. Eles estão presentes no coração, na mente e na memória dos pequenos. O "pai/mãe mental" continua a desempenhar papel central na vida dos filhos, mesmo quando o contato direto diminui.

Os pais acompanham a criança de longe ou de perto, de acordo com a necessidade. Quando o fazem de longe, ajudam-na a desenvolver independência e responsabilidade. Mas, se captam sinais de que há algo errado, reafirmam uma presença mais direta. Chamamos isso de "cuidado vigilante parental". Inúmeros estudos comprovaram que essa é a maneira mais eficaz de prevenir riscos de todos os tipos, da primeira infância ao final da adolescência. Uma vez que as tentações estão aumentando no nosso mundo, o exercício do cuidado vigilante tornou-se o principal desafio dos pais. Por isso, o conselho mais importante que podemos dar a eles é: aprenda a estar presente; atreva-se a ficar atento(a).

## CUIDADO VIGILANTE PARENTAL

O cuidado vigilante implica estar por dentro da situação – demonstrando interesse constante no que está acontecendo com a criança –, permanecendo alerta e atento. Isso permite que os pais percebam riscos, ajam para preveni-los e tomem medidas decididas para resgatar o filho se e quando necessário. O cuidado vigilante também é a capacidade de observar de fora e ver como a criança se conduz por conta própria, bem como a vontade de agir com determinação quando ela está em apuros. A criança precisa saber que os pais a estão observando para que a vigilância seja de fato eficaz. Ela pensa nos pais e sabe que eles estão pensando nela. O diálogo silencioso entre o que se passa na mente dos pais e na da criança cria condições ideais para que ela cresça com segurança. Assim, estabelece-se um acompanhamento que proporciona segurança à criança durante toda a infância e a adolescência – e até além, como pode ser visto no exemplo a seguir.

*Motoristas recém-habilitados são mais inseguros. O risco é maior entre os rapazes. As moças tendem a sofrer acidentes leves, que em geral não causam grandes danos. Os rapazes, por outro lado, se envolvem em acidentes mais graves, sobretudo no primeiro ano após a habilitação. Por isso, iniciamos um programa para pais de jovens motoristas a fim de ajudá-los a manter a vigilância eficaz, mesmo quando não estão ao lado dos filhos. O segredo é criar presença mental – situação em que o filho pensa nos pais porque sabe que eles estão pensando nele. Como isso funciona? Vejamos um pequeno exemplo: antes de o(a) jovem sair de carro no fim de semana, a mãe faz um pedido simples: "Por favor, quando chegar lá me envie uma mensagem pelo celular. E outra antes da meia-noite, para que eu possa ir dormir em paz". Alguns jovens reagem com impaciência a esse pedido. É muito importante que os pais não se rendam a essa reação e lembrem que o pedido é completamente justificado, por dois motivos: a solicitação da mãe não só a deixa mais calma como também faz o filho pensar nela. Quando ele atende ao pedido, pensa nela duas vezes: quando chega ao destino e antes da meia-noite. Nossos estudos provaram que, quando a presença mental existe, os jovens dirigem com mais cuidado. Além disso, quando os pais insistem em seu direito de fazer pedidos simples como esse, a grande maioria dos jovens (95%) os cumpre. Em determinado caso, quando um jovem reclamou do pedido da mãe, o pai entrou em cena e disse: "Meu filho, quando sua mãe não dorme, eu também não durmo! Então, você vai enviar essas duas mensagens!" E funcionou.*

Para desenvolver uma postura eficaz de cuidado vigilante, é importante entender que há uma grande diferença entre esse conceito e a espionagem ou a intervenção invasiva, que não só não beneficiam o filho (e os pais) como prejudicam tanto a relação quanto o bom desenvolvimento da criança. Espionar, ou reunir informações sem o conhecimento da criança, é fundamentalmente diferente de cuidar, porque não proporciona presença. Além disso, o fato de espionar tem um caráter desonesto que pode minar a relação. O dano torna-se evidente quando os pais precisam agir com base nas informações colhidas ou quando a criança descobre que os pais a estavam espionando. Um pai que tenta agir com base nesse tipo de informação precisa mentir para explicar suas atitudes. Mesmo que a mentira seja supostamente bem-sucedida, a suspeita se infiltra na relação. Os pais nos perguntam se é sempre injustificável vigiar as ações da criança (por exemplo, para verificar se ela está escondendo drogas no quarto). De fato, às vezes essa inspeção é necessária para proteger a criança e a família, mas pode ser realizada de forma legítima e sincera. É o oposto de xeretar às escondidas. Assim, os pais que descobrem que o filho está usando drogas dirão abertamente que, à luz desse fato, inspecionarão o quarto dele se e quando necessário. Ao fazê-lo, não estão espionando, mas tomando medidas corajosas de vigilância para proteger o filho. Muitos pais precisam de apoio para ousar e agir de forma clara e legítima. Porém, quando têm apoio, até mesmo aqueles que antes se sentiam fracos e paralisados ousam restaurar seu *status* parental.

A eficácia da vigilância também é prejudicada pela intervenção invasiva, que ocorre quando os pais se intrometem na intimidade da criança ou tentam controlar áreas em que ela já tem autonomia. Um exemplo do primeiro tipo de invasão é ler o diário ou as mensagens dos filhos no celular. No caso do segundo tipo de intervenção, podemos mencionar os "pais-helicóptero", que pairam incessantemente sobre a vida dos filhos e não conseguem agir diferente, mesmo que não exista nenhum sinal de comportamento problemático. A vigilância é prejudicada nesses casos, porque a presença parental perde legitimidade: em vez de internalizar determinada posição, a criança resiste cada vez mais. Também se comprovou que a vigilância invasiva prejudica significativamente a relação entre pais e filhos.

Em um *workshop* sobre vigilância parental em caso de tabagismo e consumo de álcool na pré-adolescência, várias mães admitiram que xeretavam a mochila dos filhos. Algumas tiveram problemas quando encontraram "provas incriminadoras". Duas brigaram com as filhas, dizendo ter certeza de que elas fumavam. As garotas negaram, mas as mães alegaram que sabiam por intuir que elas estavam mentindo. Suspeitando de que as mães vasculhavam suas mochilas, as garotas montaram uma armadilha: colocaram a mochila em determinada posição sobre a mesa e depois verificaram se estava em outra. Ao descobrir que sim, confrontaram as mães, que acabaram admitindo o fato. Isso prejudicou a relação e impossibilitou a comunicação – e as mães ficaram ainda mais indefesas.

O controle sobre a criança e suas condições de vida para impedir comportamentos problemáticos é irreal. Todavia, os pais podem reduzi-lo significativamente exercendo um acompanhamento criterioso e sábio. Eles não têm como garantir que certas coisas não aconteçam, mas isso não significa que estão indefesos. Ao contrário, o entendimento de que a vigilância se exerce pelo acompanhamento e não pelo controle aumenta a influência parental. O cuidado vigilante é um processo flexível que se estreita ou se afrouxa dependendo dos sinais de alerta captados pelos pais. Podemos falar de três níveis de cuidado vigilante: atenção aberta, atenção focada e medidas unilaterais.

### Atenção aberta

Esse é o nível mais básico de cuidado vigilante. Na maioria das vezes, os pais se encontram nesse nível, pois ele proporciona à criança, simultaneamente, independência e acompanhamento. Os pais mantêm a atenção aberta quando demonstram interesse pelo que está acontecendo, expressam cuidado e procuram se informar, mas não vigiam muito de perto nem intervêm. Ao manter uma distância respeitosa, sinalizam para a criança que confiam nela e permitem que aja de forma independente. Além disso, dão a ela a sensação de que fazem parte de sua vida. Todos os pais podem melhorar sua capacidade de atenção aberta se cultivarem as habilidades discutidas a seguir.

### Manter uma rotina de pontos de encontro

A presença dos pais ocorre principalmente por uma série de pontos de contato que fazem parte da rotina. Por exemplo, as refeições em família. Um dos problemas da falta de rumo na vida moderna é a deterioração gradual dos encontros familiares básicos, como as refeições. Em geral, nesses momentos os pais estão ausentes por causa do trabalho e as crianças, por causa dos encontros sociais, dos programas de TV ou do computador. Aos poucos desenvolvem hábitos como pegar qualquer coisa da geladeira ou comer no quarto diante das telas. Esses hábitos não só prejudicam a alimentação saudável como sabotam a estrutura familiar. Está comprovado que famílias que comem juntas algumas vezes por semana sofrem menos com delinquência e drogas. Uma das principais razões para o efeito positivo das refeições em família é que elas fortalecem a presença dos pais na mente da criança. Essa presença cresce não só durante a refeição em si, mas também antes dela, pois a criança sabe que em determinado momento será esperada à mesa. Essa presença mental é um dos fatores que evitam a deriva em direção a tentações problemáticas. O fato de a criança saber que é aguardada a faz lembrar que tem pais que se preocupam com ela. Comer em família é importante mesmo quando não é possível que todos estejam à mesa. Bastam dois membros da família juntos para que o senso de pertencimento seja mantido. A ideia de que se deve comer à mesa, e não no quarto na frente de uma tela, também protege a criança de processos de degeneração comuns hoje em dia. Isso porque os adolescentes que desenvolvem o hábito de comer no quarto muitas vezes entram em uma espiral de autonegligência. Por outro lado, os pais que se posicionam firmemente contra esse hábito dão um grande passo para reeducar o filho e a própria parentalidade.

Além das refeições, qualquer hábito que proporcione momentos de encontro entre pais e filhos ou entre membros da família pode ser a base para a presença e o cuidado vigilante – por exemplo, visitas conjuntas aos avós, férias em família, viagens etc. Outro hábito que permite que os pais exerçam atenção aberta é o costume de levar a criança à casa de amigos, festas ou baladas. Essas caronas não são apenas um dever parental: elas também propiciam o acompanhamento mental. O pai de uma adolescente disse-lhe francamente: "É importante para mim levá-la às baladas. Confio em você, mas fico mais tranquilo quando sei onde você está". Ele mostrou que não tinha vergonha de ser vigilante. Os pais podem se fazer uma série de perguntas para verificar se estão mantendo uma rotina eficaz de proximidade:

- Faço questão de realizar eventos compartilhados, como refeições, visitas aos avós, férias, viagens e atividades de lazer?
- Insisto com meus filhos para que participem desses eventos?
- Existe um desgaste do ambiente familiar em virtude da carga de trabalho ou de os membros da família terem tomado caminhos separados?
- A presença da família em espaços compartilhados diminuiu e o tempo que cada um passa em seu canto aumentou?
- Tenho uma rotina de encontros com meus filhos?

Os pais que voltam a realizar eventos comuns depois de abandoná-los dão um grande passo para recuperar a parentalidade.

*Depois de enfrentar uma depressão, Ricardo, pai de Daniela (13), retomou a rotina de reuniões familiares que abandonara. Daniela era fã de* Star Wars. *Certa vez perguntou ao pai: "Por que de repente você começou a exigir que eu participe de todas as refeições e reuniões com meus avós e tios?" Ele respondeu: "Porque me inspirei em* O retorno de Jedi, *que vimos um tempo atrás. Lembrei que até mesmo alguém que supostamente desapareceu pode fazer um retorno triunfal! Eu também retornei depois de um período difícil". Daniela abraçou o pai carinhosamente.*

**Ter contato com as pessoas que rodeiam a criança**

O princípio da sacralização da privacidade tomou conta de nós a tal ponto que agora temos vergonha de falar com os amigos dos nossos filhos, conhecê-los e ter uma simples conversa com eles. Muitos adolescentes lançam olhares furiosos aos pais quando estes os "envergonham" ao conversar com seus amigos. Os pais, por sua vez, não insistem, porque "embaraçar" os filhos é a última coisa de que querem ser acusados. No entanto, o medo e a vergonha dos pais não são apenas injustificados, mas também prejudiciais. Conhecer os amigos dos nossos filhos é nosso dever. No mínimo, os pais devem saber quem são esses amigos e ser capazes de recorrer a eles com uma pergunta ou um pedido, se necessário. Também é importante saber onde moram e ter seu número de telefone. Os pais se perguntam se, ao fazê-lo, não estão mostrando aos filhos que não confiam 100% neles. Mas não é bom confiar 100%. As crianças crescem melhor com um pouco menos de confiança. Toda criança se beneficia da confiança dos pais se esta não for cega, mas realista.

A seguir, uma série de frases que os pais podem dizer a si mesmos ou à criança para enfatizar seu direito de conhecer os amigos dela:

- É meu dever saber com quem você anda por aí.
- É importante para mim conhecer seus amigos. Eles são uma parte fundamental da sua vida, então também são da minha.
- Todo mundo que vem à minha casa é meu convidado. Não vou ser um estranho para ninguém que me visita.
- Quando seus amigos vierem aqui, darei as boas-vindas e servirei suco e sanduíches a eles.

Essas declarações ajudam os pais a evitar que os amigos da criança fiquem fora do seu alcance. O fato de ela dizer "não é da conta de vocês" é um sinal de alerta que exige supervisão redobrada. Perguntar à criança (e aos seus professores) com quem ela tem amizade na escola dá aos pais a possibilidade de manter o cuidado adequado. As festas escolares são excelentes ocasiões para isso, além de uma oportunidade para expandir os contatos, até mesmo com pais de crianças de outras turmas. É raro que um pai rejeite uma fala como: "Fiquei sabendo que a sua filha passa bastante tempo com a minha. Aqui está meu número de celular. Eu adoraria ter o seu, caso precisemos conversar". Quando os pais reagem à tendência a se isolar, rapidamente descobrem que outros pais estão dispostos e até ansiosos para estabelecer contato. "Sair do armário" como pais responsáveis e vigilantes ajuda outros a fazer o mesmo.

Os pais que criam pontos de encontro com figuras que convivem com a criança aumentam sua capacidade de captar sinais de perigo e intervir cedo para evitar desenvolvimentos negativos. Já aqueles que estão distantes das pessoas que cercam a criança têm necessariamente um campo de visão limitado. Alguns podem ser avessos à ideia de buscar ajuda para saber o que está acontecendo com seu filho. Talvez achem que é uma prova de desconfiança ou receiem que estabelecer contatos seja montar uma rede de espionagem. Porém, essa rede é construída às claras. Os pais dizem abertamente ao filho: "Precisamos saber quem são seus amigos", "precisamos saber o que está acontecendo com você na escola". Aqueles que afirmam que não precisam dos outros porque sabem quando o filho está com problemas são arrogantes. Até mesmo os pais mais atentos às vezes se surpreendem com o que acontece com seus filhos sem que percebam.

## Diálogo aberto

Uma boa maneira de exercer uma vigilância eficaz é ter um diálogo franco e aberto com a criança. As formas de diálogo variam, mas alguns princípios básicos são os mesmos. O primeiro deles é que, por diversos motivos, ter uma conversa tranquila é mais importante do que obter informações. Quando conversam com o filho sobre um assunto potencialmente problemático, os pais criam um tipo de acompanhamento mental. Por exemplo, se o assunto são as festas e os pais perguntam o que o filho fará se lhe oferecerem uma bebida alcoólica ou drogas, eles estarão presentes na mente dele caso isso de fato aconteça. O acompanhamento mental é um dos melhores meios de protegê-lo. Além disso, as conversas tranquilas aumentam a chance de o filho pedir ajuda se estiver em apuros.

Para criar uma atmosfera positiva que permita um diálogo significativo, é preciso evitar sermões, raiva e interrogatórios. O sermão tem um impacto negativo, mesmo que a posição dos pais seja justificada. Qual é a diferença entre dar sermão e expressar uma posição parental de forma eficaz? O sermão é caracterizado pela repetição e pelo tom invasivo. As crianças rapidamente aprendem a se imunizar contra ele.

A raiva e as ameaças são uma barreira significativa para o diálogo aberto. Os pais sabem disso muito bem. Quando lhes perguntamos por que os filhos não conversam com eles sobre assuntos difíceis, respondem: “Porque têm medo de que a gente fique com raiva!” Então, como os pais devem reagir quando descobrem que a criança está fazendo coisa errada? Afinal, eles não são psicólogos experientes para reagir com frieza até mesmo diante das revelações mais chocantes. No entanto, eles podem aprimorar suas reações – por exemplo, internalizando o princípio de malhar o ferro enquanto frio. Um caminho possível, nesses casos, é dizer: “Não é fácil para mim ouvir isso. Tenho certeza de que você entende. Vou pensar no assunto e mais tarde voltaremos a conversar”. Surpreendentemente, tal reação tem mais impacto do que expressar uma comoção profunda, sobretudo quando vem acompanhada de raiva e ameaças.

Contudo, os pais são humanos. Não se pode esperar que reajam sempre de acordo com as regras. Felizmente, até mesmo aqueles que explodem são capazes de se corrigir e criar oportunidades de um diálogo construtivo no futuro. Por exemplo: “Gritei com você quando descobri o que fez porque fiquei surpreso e chocado. Mas agora quero conversar com você em um estado de espírito diferente. Vamos sentar com calma e discutir maneiras de evitar que isso se repita". Essa reação retoma o assunto que foi encerrado pela explosão dos pais.

Outro obstáculo para iniciar o diálogo com a criança é o interrogatório, ou seja, a tentativa de obter confissões ou "informações incriminadoras". O interrogatório leva muitas vezes à reação oposta: a criança se fecha em copas e evita ao máximo dar aos pais a tão cobiçada informação. Como no sermão, o segredo do diálogo construtivo é encontrar o tom certo e evitar repetições invasivas ou demandas exageradas para que a criança revele a verdade. Se, durante a conversa, surgir uma indicação clara de comportamento problemático, os pais podem dizer: "Queremos que você pense em uma maneira de contar o que aconteceu. Não vamos fazer isso agora porque primeiro precisamos nos acalmar. Mas retomaremos a conversa hoje à noite". Mais tarde, quando houver condições para uma conversa tranquila, devem sentar-se com a criança e dizer: "Vamos começar de novo. Diga exatamente o que aconteceu e juntos vamos descobrir a melhor maneira de resolver isso". Se a criança ainda se recusar a contar o que aconteceu, a conversa deve ser a seguinte: "É uma pena que você não queira nos contar. Sabemos o que houve e agiremos de acordo. Vamos intensificar a supervisão e, a partir de agora, acompanharemos as coisas de perto".

Vale a pena criar condições propícias para um diálogo construtivo. É importante reservar um tempo e encontrar um lugar adequado, além de anunciar a conversa com antecedência. Por exemplo: "Quero falar com você sobre sua viagem a Porto Seguro. É a primeira vez que você viaja sozinho com amigos e quero repassar alguns pontos importantes. Vamos conversar na sala hoje à noite, depois do futebol". O fato de os pais anunciarem a reunião com antecedência e definirem horário e local cria boas condições de abertura. Já tentativas de conversar às pressas ou com os nervos à flor da pele estão fadadas ao fracasso.

Um dos principais objetivos de uma conversa iniciada pelos pais é construir um roteiro compartilhado para situações potencialmente problemáticas, como baladas, viagens com amigos ou exposição a drogas.

É preciso se preparar antecipadamente para essas conversas. Para tanto, os pais devem ter um diálogo preliminar entre si para chegar a uma posição conjunta. Quando ambos concordam com a mensagem, aumentam as chances de que a criança tenha uma reação positiva.

A conversa deve começar com um anúncio claro: "Quero falar com você sobre bebidas alcoólicas (ou pornografia, drogas, sexo sem proteção etc.). Como você acha que vai reagir se for exposta(o) a isso?" Se houver cooperação da parte do jovem, deve-se planejar um roteiro conjunto. Por exemplo, imaginar uma situação de tentação ou pressão social para tentar chegar a uma resposta adequada. Muitas vezes, porém, o jovem não coopera, demonstra má vontade ou desdenha: "Ah, mãe, eu sei me cuidar!" Para manter o efeito positivo da conversa, apesar da tentativa de encerrá-la, a mãe deve dizer: "Fico feliz em saber que você sabe se proteger. No entanto, é importante para mim dizer o que o papai e eu pensamos sobre isso". Se o filho estiver disposto a ouvir, os pais lhe dizem brevemente quais são suas preocupações e sua posição. Se ele ainda resistir, devem afirmar: "Não terminamos a conversa e não queremos continuá-la num clima ruim. Ainda vamos procurar uma solução para deixar esse assunto claro". Uma forma de garantir que a posição parental seja transmitida efetivamente, apesar da resistência do jovem, é contar com apoio. Por exemplo, um avô, tio ou amigo da família convida a criança para uma conversa e lhe transmite as expectativas e preocupações dos pais. Uma boa conversa com um apoiador é uma alternativa quando há resistência.

### ATENÇÃO FOCADA

Quando surgem sinais de que o filho está se metendo em problemas – matando aula, passando noites fora, mentindo ou fazendo amizades perigosas –, não basta que os pais fiquem no nível da atenção aberta. Eles precisam aumentar a vigilância e averiguar as áreas problemáticas. Lembramos que eles devem agir de maneira franca e aberta. O jovem precisa sentir que os pais redobraram a supervisão e saber por que acharam necessário fazê-lo.

*Teresa, mãe de Elisa (13), estava divorciada de Marcelo havia um ano. Após o divórcio, elas mudaram de cidade e Elisa fez novos amigos. O pai aparecia para visitá-la duas vezes por semana. Para facilitar a adaptação da filha, Teresa deu-lhe mais liberdade do que o normal. Como era muito sociável, Elisa rapidamente fez amizade com as crianças do bairro. Lentamente, sinais preocupantes começaram a aparecer. Elisa chegava tarde e dava respostas evasivas. Teresa teve conversas francas com ela, em um clima tranquilo, mas nada mudou. Depois que descobriu que Elisa mentira para ela, dizendo que saíra com um amigo, Teresa decidiu que era hora de ampliar a supervisão. O primeiro passo foi coordenar sua posição com Marcelo. Em uma visita ao pai, a menina ficou surpresa ao descobrir que a mãe estava lá. Ambos se sentaram com ela na sala de estar e Teresa disse: "Você tem demorado muito para voltar para casa e até mentiu para mim. Eu e seu pai conversamos e percebemos que nossa separação deixou tudo confuso. Decidimos que é hora de pôr ordem nas coisas. De agora em diante, vou perguntar toda noite quais são os seus planos para o dia seguinte. Vou perguntar aonde você vai e com quem. Vou pedir o nome e o número de telefone dos seus amigos. E vou manter o papai informado". Elisa se rebelou contra a ideia de fornecer aos pais o contato dos amigos, mas Marcelo, que combinara tudo com Teresa, respondeu: "É um pedido muito razoável! Se tudo correr bem, a mamãe não vai incomodar você nem ninguém. Mas se algo preocupante acontecer, ligaremos para qualquer um que possa nos ajudar". Elisa ficou surpresa com a sinergia entre os pais. Era a prova de que ela ultrapassara vários limites. Nas semanas seguintes, a nova rotina se manteve.*

Quando avisam que vão pedir informações – o quê, com quem, onde e até que horas – cada vez que a criança sai de casa, os pais fazem a transição para o nível da "atenção focada" do cuidado vigilante. Alguns se sentem incomodados com o processo de questionamento porque saem da atmosfera de diálogo aberto que gostariam de manter, e isso pode fazê-los demonstrar pouca convicção. Por esse motivo, precisa-se entender que é razoável buscar informações simples. Afinal, estamos falando de crianças que já mentiram ou deram sinais preocupantes. Nesses casos, as perguntas focadas são necessárias. Os pais que entendem que é vital exigir informações simples e básicas agirão com o coração leve. A decisão de perguntar é a melhor resposta para a confiança. Esta agora é realista, em vez de cega. Só a primeira é benéfica para as crianças; a segunda as prejudica duplamente, porque as expõe a tentações desnecessárias e porque, quando traem a confiança total (e cega) dos pais, eles ficam duplamente decepcionados, o que piora a relação.

Os pais muitas vezes nos perguntam: "Mas o que devemos fazer se nosso filho se recusa a responder?" Nossa resposta é: 1) quando os pais insistem, a grande maioria das crianças responde, mesmo que de má vontade; 2) se ainda assim a criança se recusar a responder, os pais podem dizer com calma e firmeza: "Então você não pode sair". Essa simples afirmação é um mistério para muitos pais, que se perguntam: "Como manter a mensagem?" Simples: os pais informam ao filho que: 1) ele não tem permissão para sair; 2) eles não lhe darão dinheiro (não apenas naquele dia, mas sempre); 3) se ele sair, eles vão procurá-lo. Se o filho desafiar os pais e disser que vai sair de qualquer maneira, é importante explicar: "Não posso impedi-lo à força, mas, se você sair, eu vou procurá-lo. Não vou desistir de você".

Quando os pais intensificam a supervisão para o nível da atenção focada, não se limitam a fazer perguntas específicas. Fazem questão de perguntar também sobre a escola, a lição de casa, provas e faltas. Mantêm contato não só com os professores, mas também com treinadores e coordenadores. Mostram à criança que são capazes de notar qualquer mudança em seu comportamento. Elevar o nível de supervisão significa que a presença dos pais é visível, o que os tira do estado prévio de aflição. A criança tem uma experiência de "retorno parental" após um período de menor presença. É preciso enfatizar que, mesmo resistindo, no fundo do coração ela acolhe a mudança. Uma criança que corre riscos precisa de uma rede de segurança. Quando os pais voltam a supervisioná-la, ela se livra da sensação de andar sozinha à beira de um abismo.

## MEDIDAS UNILATERAIS

O mais alto nível de supervisão é expresso por medidas destinadas a proteger a criança e tirá-la do emaranhado em que se meteu. Nessa fase, os pais não se limitam a conversar e partem para a ação. Por exemplo, fazem telefonemas, vão até a criança, negam benefícios que possam prejudicá-la (como a mesada) e, em alguns casos, restringem direitos pessoais. A ação parental nesse nível de supervisão independe da concordância da criança e acontece mesmo que ela resista. A justificativa é óbvia: eles precisam resgatá-la.

### "A rodada de telefonemas"

A decisão dos pais de ligar para diversos conhecidos da criança quando ela desaparece ou se recusa a voltar para casa na hora combinada gera uma mudança profunda no *status*, no nível de conhecimento e na capacidade de lhe transmitir o sentimento de cuidado. Os pais que fazem uma rodada de telefonemas passam por um batismo de fogo que os enche de força e coragem. O que parecia impossível passa a ser viável. Antes de decidir se é adequado preparar-se para essa medida, os pais devem se perguntar:

- Meu filho mente para mim? Ele esconde de mim o que faz?
- Ele tenta me impedir de saber quem são seus amigos?
- Ele desaparece ou sai à noite sem me avisar?
- Captei sinais preocupantes sobre suas saídas com os amigos?

Respostas positivas a essas perguntas indicam que a criança está tentando estabelecer áreas que fujam do alcance dos pais. Às vezes esse desejo é legítimo – por exemplo, quando se trata de relações íntimas. Mas "sair com amigos" não se enquadra nessa categoria. Nesse caso, os pais precisam estar por dentro da situação. A tentativa da criança de afastá-los constitui um sinal claro de alerta.

A rodada de telefonemas não é uma medida excessiva, recomendável apenas no caso de crianças que já tiveram problemas sérios. A maioria dos pais obteria ótimos resultados se ousasse realizá-la pelo menos uma vez. Quando experimentam as diferentes etapas da rodada de telefonemas, modificam a si mesmos e melhoram seu *status*. Deixam de ser pais que podem ser ignorados e recuperam a iniciativa.

Em uma rodada ampla de telefonemas, os pais ligam para o maior número possível de amigos do filho, conversam com eles e pedem para falar com o pai ou a mãe de cada um. Muitos se surpreendem e nos perguntam: "Por que não começo ligando para o meu filho, perguntando onde ele está e por que ainda não voltou?" Se a criança atender e estiver disposta a voltar ou deixar que os pais a busquem, não há necessidade de ligar para mais ninguém. Porém, se ela os repele, argumenta, dá informações vagas ou recorre a desculpas, os pais devem dizer: "Não aceito. Se você não mantiver os acordos, será meu dever agir". Então, aguardam a resposta da criança, dando-lhe a chance de acabar com a atividade não autorizada. Alguns afirmam que é exatamente isso que acontecerá, motivo pelo qual não precisam se preparar para uma rodada de telefonemas. Porém, é aqui que entra a vantagem da preparação. Se os pais sabem que medidas vão tomar (ou seja, a rodada de telefonemas), eles transmitem uma determinação incomensuravelmente mais persuasiva do que ameaçar tomar medidas no calor da hora. Na verdade, os pais que não se preparam e fazem ameaças genéricas tendem a reagir mal – por exemplo, gritando, dando sermão ou ameaçando com punições severas –, o que piora tudo. A preparação antecipada é a garantia de autocontrole. A criança que têm consciência de que seus pais têm autocontrole e determinação reage de forma diferente daquela que sabe que eles agem impulsivamente. Portanto, preparar-se para uma rodada de telefonemas garante que tudo termine bem, mesmo que não seja preciso realizá-la.

O próprio processo de coleta de informações antes da rodada de telefonemas fortalece os pais e os coloca no controle da situação. Existem várias maneiras de coletá-las. A mais simples é dizer à criança: "Preciso saber o nome e o número de telefone dos seus amigos. Pode passá-los para mim, por favor?" Para muitos pais, até mesmo esse pedido simples é um obstáculo intransponível. Sentem-se incomodados e acham que estão sendo invasivos. Ou, então, temem que o filho se recuse a colaborar. É precisamente por isso que a preparação é tão importante, pois permite que os pais consultem um ao outro e enfrentem os medos que limitam sua parentalidade. Afinal, se evitam uma ação tão simples como perguntar dos amigos do filho, correm o risco de desistir do seu direito de supervisionar e, assim, abandonar a criança a tentações e influências problemáticas.

Outra maneira de obter informações é usar a lista da turma. Às vezes os pais precisam se aproximar da escola, de outros pais ou do coordenador para obter esses dados. Essas ações são significativas. Eles também podem se dirigir diretamente aos amigos que frequentam sua casa ou aos pais deles em eventos escolares. Também é um ato básico de presença parental dizer simplesmente: "Você poderia, por favor, me dar o número do seu celular? Vou usá-lo apenas se necessário, prometo não incomodar". Aqueles que superam o desconforto inicial e dão esse passo adquirem a capacidade e a coragem de supervisionar.

Uma rodada significativa de telefonemas inclui diversos adultos e crianças. Não raro os pais ligam para 20 pessoas. O objetivo não é necessariamente fazer a criança voltar naquele instante para casa, mas demonstrar presença decidida. A rodada também pode ser realizada no dia seguinte – por exemplo, se for tarde demais para ligar para estranhos. Nesse caso, convém dizer: "Meu filho desapareceu ontem à noite e só chegou em casa de madrugada. Estou muito preocupado(a). É por isso que estou ligando para você e para outras pessoas com quem ele mantém contato. Eu ficaria muito grato(a) se você me cedesse um ou dois minutos do seu tempo".

Em todas as conversas os pais devem se identificar, dizer por que estão ligando e pedir uma pequena ajuda. Por exemplo: "Estou muito preocupado(a) porque minha filha não voltou para casa. Não sei onde ela está. Você pode me ajudar?" Após essa introdução, inicia-se uma conversa curta. Se estão conversando com um jovem que convive regularmente com o(a) filho(a), como um colega de classe, o pai ou a mãe pode dizer: "Tenho um favorzinho para lhe pedir. Amanhã, quando você vir meu filho, pode dizer a ele que liguei para você porque estava muito preocupado(a)?" A experiência mostra que cerca de metade das crianças avisa ao colega que seus pais ligaram (nem que seja para rir deles). Essas mensagens manifestam a presença comprometida dos pais, pois dizem: "Estávamos aqui e estávamos lá". Este é o cerne do cuidado vigilante: provar à criança que os pais não desistem dela.

Ao terminar a conversa com um amigo da lista, é aconselhável pedir que ele chame o pai ou a mãe. Essa conexão pode ser fundamental mais tarde. É importante explicar por telefone que a medida está sendo tomada em virtude de uma profunda preocupação. Tal explicação costuma gerar reações positivas. Se o outro reagir desse modo, vale a pena tentar marcar uma reunião. Estabelecer alianças entre pais rende muito mais benefícios do que apenas proteger os filhos. Tivemos dois casos específicos em que um grupo de pais que se formou após uma rodada de telefonemas conseguiu desmantelar uma rede de traficantes que agia livremente na escola dos filhos. Em outro caso, a aliança entre pais encerrou as festas regadas a bebidas alcoólicas, que haviam virado regra num grupo de alunos de 8º ano.

Vários pais nos disseram que a rodada de telefonemas mudou a vida da família. A mãe de um garoto de 14 anos que começou a se meter em problemas comentou: "Se eu ao menos soubesse dessa possibilidade quando minha filha mais velha se desencaminhou, as coisas teriam sido muito diferentes. Mas talvez não seja tarde demais".

O papel dos pais não termina com a rodada de telefonemas: eles têm de se preparar para o confronto quase inevitável que ocorrerá quando a criança descobrir que eles ligaram para seus amigos. Aqui também a preparação os fortalece. Quando os pais se atrevem a violar o "tabu" (ligar para os amigos dos filhos), querem dizer: "Você é muito importante para nós para não fazermos nada quando você se mete em problemas". Desse modo, recuperam a parentalidade. Alguns se sentem orgulhosos depois da rodada telefônica. É realmente uma grande conquista. Quem passou por tal experiência não recua facilmente, mesmo quando o filho faz uma cena.

O objetivo dos pais no dia seguinte à rodada de telefonemas é não se deixar arrastar por um turbilhão ao enfrentar a ira dos filhos. A reação ideal é absorver a raiva da criança em silêncio. Quando ela parar de gritar, é a vez de dizerem simples e calmamente: "Não estou interessado em ligar para ninguém. E não vou ligar, se você apenas me disser onde está e voltar para casa na hora combinada". É aconselhável evitar tons ameaçadores ou sermões. Se a criança voltar a atacar e ameaçar, os pais devem ficar quietos e dizer calmamente: "Se você não está disposto a cumprir um pedido simples como esse, não temos escolha a não ser agir como pais amorosos e responsáveis". Nesse ponto, é aconselhável terminar a reunião. Os pais não devem esperar que a criança concorde. Uma rodada de telefonemas é uma medida unilateral necessária, tomada pelos pais por dever de proteger o filho de perigos reais. Nenhuma norma social de privacidade está acima desse dever.

Os pais que se preparam dessa forma para o confronto demonstram contenção e autocontrole. Em todos os casos que orientamos, não houve um único sequer em que os pais foram arrastados para o confronto. A conversa pode ter terminado com a criança batendo a porta, mas eles se mantiveram firmes.

Não se pode esperar que a criança simplesmente entre na linha após uma ou duas rodadas de telefonemas: a maioria muda apenas parcialmente e de forma gradual. Porém, ocorre uma mudança profunda nos pais, e isso abre novas opções para aqueles que antes estavam isolados. Uma rodada ampla de telefonemas muda profundamente o ambiente em que se desenvolveu comportamento problemático. Em vez de pais paralisados ou raivosos, a criança agora encontra pais determinados e estáveis. O autocontrole parental é contagioso. É muito difícil continuar gritando com pais firmes. Aos poucos, a criança passa a lhes dar mais valor. Em vez de pais histéricos ou fáceis de ignorar, ela agora tem pais dedicados, responsáveis e prontos para a sua tarefa. A criança também descobre que eles têm apoio e legitimidade, e isso é novidade. As consequências são gradativas mas inconfundíveis: inúmeros estudos comprovam que o nível de risco diminui.

## Presença no local em que o problema se manifesta

A disposição dos pais de ir ao local onde o filho passa o tempo ou conhecer situações ligadas ao seu comportamento problemático transmite uma mensagem forte de preocupação, cuidado e ousadia. Essa preocupação é enfatizada quando os pais se apresentam para resgatá-lo de problemas (por exemplo, se foi encontrado embriagado ou se está retido na escola por comportamento violento). Os pais devem, antes de tudo, expressar sua preocupação tanto para a criança quanto para as pessoas ao seu redor. Demonstrar raiva, ameaçar com castigos ou tentar pegar o filho à força pode ser muito prejudicial. A reação correta é uma combinação de contenção com vontade expressa de tomar as medidas necessárias para evitar que o problema se repita. A mensagem deve ser a seguinte: "Estou aqui para ajudar meu filho e evitar que isso aconteça novamente". Essa posição incorpora a essência do cuidado vigilante: proteção e prevenção. A preocupação coloca os pais ao lado do filho. Sua vigilância clara os coloca entre a criança e o risco.

Nosso principal conselho para os pais nessa situação é: expressem uma preocupação genuína com a situação do filho, mas respeitem as pessoas ao redor e ouçam o que elas dizem. E, acima de tudo, controlem-se! Não é hora de disciplinar o filho, muito menos repreender alguém.

Se eles seguirem essas orientações, sua presença pode ser poderosa: ela muda seu *status*, sua relação com o ambiente e o grau de risco do filho. Descrevemos a seguir várias situações típicas.

*Eduardo (14) telefonou ao pai para dizer que ia dormir na casa de um amigo. Porém, a regra era que ele deveria estar em casa às 23 horas. O pai ligou para a mãe do amigo e disse que o filho teve permissão para passar o dia lá, mas não para dormir. Explicou que estava preocupado porque Eduardo passara a chegar tarde e às vezes eles não sabiam onde ele estava. Disse que ia buscá-lo. Quando chegou, disse ao amigo de Eduardo que ele poderia dormir lá em outra ocasião, mas não daquela vez, porque ele não o consultara. Mais tarde, sentou-se com o filho para combinarem como ele poderia ter permissão para dormir na casa do amigo. Enfatizou que não aceitaria tentativas de enfrentá-los com fatos consumados.*

*Ana descobriu que sua filha Carla (12) mentira para ela. A menina disse que ia fazer um trabalho na casa de uma colega, mas na verdade foi ao cinema com várias amigas para ver um filme impróprio para sua idade. Ana ligou para a mãe de uma das meninas e descobriu a qual cinema haviam ido. Foi até lá, conversou com o gerente, explicou que a filha estava lá sem permissão e estava preocupada. O gerente permitiu que ela entrasse na sala. Ana encontrou a filha e a tirou do cinema. No caminho de casa, disse: "Eu não quero falar com você agora, porque nenhuma de nós está calma. Mas vamos falar sobre isso hoje à noite. Precisamos encontrar uma maneira de evitar que isso se repita".*

Em todos esses casos, o mesmo princípio está em ação: os pais vão ao local do comportamento problemático ou fazem contato direto com as pessoas que estão redor da criança. Além disso, tomam medidas que indicam uma intensificação da supervisão. As punições não ajudam a melhorar a situação, embora para muitos filhos a própria supervisão pareça um castigo. Talvez o melhor castigo possível.

**DICAS**

- Crie pontos de encontro e passe algum tempo com a criança, como refeições, passeios, eventos compartilhados.
- Contate as pessoas que estão redor da criança. Descubra quem são seus amigos e certifique-se que eles saibam quem você é. Entre em contato com professores, orientadores e pais de coleguinhas.
- É importante iniciar uma conversa simples e direta sobre assuntos potencialmente problemáticos. Fale com a criança sobre cigarros, álcool, pornografia, sexo sem proteção e uso prejudicial de telas.
- Mesmo que a criança não forneça "informações incriminadoras", a conversa é significativa porque aumenta a presença parental.
- Não espione! Não leia as mensagens do celular da criança! Ouse supervisionar abertamente.
- O cuidado vigilante é diferente do comportamento parental ansioso ou invasivo. Quando não há sinais de risco, a supervisão deve ser reduzida ao nível de atenção aberta.

- A melhor maneira de elevar o nível de cuidado vigilante é informar ao filho que, em virtude da ocorrência de incidentes preocupantes, você vai fazer perguntas e ficar de olhos abertos.
- Intensificar o cuidado vigilante é diferente de punir e melhor do que qualquer castigo.
- Conecte-se com os apoiadores para supervisionar melhor. Quanto mais conectado você estiver, mais eficaz e legítima será a supervisão.
- Aprenda a fazer uma rodada de telefonemas. Nada melhor para fortalecer a posição parental.
- Não se impressione se o filho alegar que você está violando sua privacidade. Diante de descobertas preocupantes, é necessário reduzir o direito à privacidade.
- O quarto do filho não é sagrado. Quando ela faz mal uso dele, é seu dever inspecioná-lo. Mas ela precisa ter ciência do que você fará, mesmo que não saiba quando o fará.
- Quando o comportamento do filho melhorar, diga a ele que sua confiança nele aumentou e que o nível de supervisão vai diminuir proporcionalmente.
- Aumentar o cuidado vigilante às vezes é incômodo ou embaraçoso, mas é parte fundamental da parentalidade.
- Muitos filhos usam palavras fortes como "privacidade" ou "vergonha" para dissuadir os pais de supervisioná-los. Ouça em silêncio e insista em seu direito de protegê-los.
- Cuidado vigilante não é controle, mas uma chave importante para o autocontrole da criança.

# 5. O limite amoroso

O estabelecimento de limites é um tema comum na educação de filhos, que precisam aprender quais limites não podem cruzar. Porém, limites efetivos são mais do que proibições respaldadas por sanções. A criança deve sentir que por trás de cada limite há uma pessoa carinhosa e consciente. Isso a faz experimentar um limite amoroso. Quando uma criança pequena se aproxima de um lugar proibido e ouve um "não!" dos pais em tom de advertência, vivencia não apenas a proibição, mas a presença da pessoa que a impõe. Isso é evidente quando seus olhos se encontram. Esse encontro pode durar bastante. Trata-se de um momento significativo, em que a criança se pergunta se deve aceitar a proibição. Se aceitá-la, está a caminho de internalizar os limites. Se, porém, continuar indo na direção do local proibido, o processo de imposição do limite continua. Por exemplo, os pais pegam a criança no colo e a afastam dali. Assim, ela não apenas é limitada, mas também contida. Esse é o segredo do limite afetuoso: os pais não estão apenas "estabelecendo um limite" para o filho; eles *são* o limite.

A experiência vale para ambos os lados: tanto a criança quanto os pais sentem o limite e precisam dele. Para os pais, defini-lo significa "estou aqui!" É como lançar uma âncora no fundo do mar. Quando encontram seu limite, ou o lugar em que permanecem firmes, deixam de ser pais confusos e exaustos. Isso fica claro quando se observa a rotina familiar. Aqueles que decidem que a família se senta para jantar em determinado horário criam um ponto claro e estável na rotina, o que proporciona a todos um sentimento original de estrutura e pertencimento.

## ENTRE O LIMITE E A DISPUTA DE PODER

Entrar em disputas de poder gera raiva, exaustão e repetição. Nesse sentido, elas são o oposto dos limites significativos. Vejamos alguns sinais típicos de disputa de poder.

f) Caracterizam-se por interações do tipo "pingue-pongue". Os pais exigem e o filho refuta; os pais exigem mais uma vez e o filho refuta novamente, e assim por diante, até a exaustão ou a explosão.
g) Os pais buscam obediência total e imediata. A afirmação básica é: "Você vai fazer o que eu mandar!"
h) Existe uma sensação de ameaça: os pais sentem que, se não prevalecerem, perderão a autoridade, enquanto a criança sente que, ao se render, perderá a independência.
i) Mesmo que os pais entrem na disputa para mostrar que não são iguais ao filho, ambos os lados agem de maneira semelhante.

A experiência de limite significativo é muito diferente.

a) Não se diz ao filho "você vai fazer o que eu mandar!", mas "eu vou fazer o que eu digo". Uma maneira particularmente eficaz de transmitir essa mensagem está no plural da primeira pessoa: "Faremos o que dissermos".
b) Em vez de entrar em um pingue-pongue com o filho, os pais respiram fundo e se preparam para manter o limite que eles mesmos estabeleceram.
c) Os pais se libertam da sensação de ameaça, entendem que seu *status* depende do que fazem e não da reação da criança.
d) Em vez de exigir obediência automática, eles aprofundam os limites por meio da persistência, do apoio e da legitimidade.

*Sempre que dava de comer ao filho, Max (4), Sérgio se irritava. Max jogava a comida no chão de propósito e ficava olhando para a cara do pai. Sérgio dizia "não!" e Max simplesmente o ignorava. Isso se repetia um sem-número de vezes. Sérgio sentia que, se o filho não lhe obedecesse, o futuro dele seria tenebroso. Felizmente, a mãe, Ester, cansada de ver a repetição daquela cena, certo dia decidiu pôr fim à disputa de poder: tirou Max da mesa e o levou para outro cômodo da casa. Sérgio ficou decepcionado por Ester não o apoiar, mas depois de uma conversa ambos concordaram que, quando aquilo acontecesse novamente, um deles simplesmente acabaria com a disputa tirando Max da cozinha. Além disso, impuseram um limite claro ao filho: "Quando você jogar comida no chão, vamos tirá-lo da mesa".*

Essa experiência diária ilustra a diferença entre a disputa de poder e o limite construtivo. Nesse caso, os pais decidiram sua posição, planejaram uma resposta conjunta e se concentraram em suas ações.

**DOIS TIPOS DE "NÃO"**

Às vezes, os pais sentem que só dizem "não!", "chega!" e "para com isso!" As mães, que costumam carregar o fardo da disciplina, são as que mais se queixam. Embora o envolvimento dos pais tenha crescido significativamente nos últimos anos, a divisão ainda é assimétrica. Alguns reclamam que as mães exigem muito e repreendem demais o filho. Essa acusação é injusta: além de carregar a responsabilidade pela educação infantil, elas são culpadas por tentar fazê-lo!

Chamamos a repetição exaustiva e a ineficácia das broncas de "ladainhas do não". Ao fim da jornada, os pais estão acossados, exaustos e roucos em virtude dos inúmeros esforços para alertar, exigir e disciplinar os filhos. Tudo fica mais difícil quando a criança tem TDAH, pois ela precisa constantemente de novos estímulos. Vivencia um fluxo constante de estímulos, o que distrai sua atenção e a leva a tentar fazer mil coisas ao mesmo tempo. Essas crianças "dançam" uma música cujo refrão é "agora, agora, agora!" Nesses casos, os pais gritam "não, não, não!" sem parar. Suas proibições e exigências se somam aos ruídos incessantes provocados pela criança, criando uma profusão de gritos e berros. Nosso objetivo é transformar o "não" dos pais e imbuí-lo de uma dimensão que, em vez de intensificar a polifonia, crie um efeito de equilíbrio e estabilização. O objetivo é transformar os inúmeros "ladainhas do não" em "nãos-âncora".

Naturalmente, os "nãos-âncora" devem ser muito menos frequentes e mais bem pensados que as "ladainha do não". Sugerimos que os pais produzam um "não-âncora" apenas uma vez por semana. Portanto, vale a pena pensar com antecedência em que comportamento problemático vão se concentrar. Os pais não chutam, mas pensam, decidem juntos e põem sua decisão em prática. Por exemplo: "Esta semana nos concentraremos no seu hábito de mexer no celular enquanto se arruma para a escola". Mesmo que um dos cônjuges saia mais cedo para trabalhar e não esteja presente nesse momento, eles deixam claro para a criança que a decisão foi conjunta. A segunda etapa na produção de um "não-âncora" é informar a criança com antecedência: "Decidimos que não vamos mais deixar você usar o celular de manhã. Você só poderá usá-lo quando voltar da escola". Se no dia seguinte o filho ignorar o pedido e pegar o celular, o pai ou a mãe diz: "Não vamos concordar com isso; pensaremos em uma forma de reagir". À noite, um deles (de preferência o que não estava em casa) exige o celular do filho e afirma: "Você vai recuperá-lo amanhã, depois que voltar da escola". Assim, a criança sentirá que o limite parental tem profundidade, pois foi expresso pela coordenação mútua e pela continuidade.

Os "nãos-âncora" diferem das "ladainhas do não" de vários modos:

- São ocasiões especiais em que o limite dos pais se relaciona com o assunto que decidiram enfocar na semana.
- Não são medidas apressadas, mas pensadas.
- Os pais informam o filho com antecedência sobre o limite que decidiram enfocar.
- Se e quando o filho violar o limite, os pais dizem que vão pensar no que fazer e voltarão ao assunto mais tarde (malham o ferro quando frio).
- Os pais mantêm o limite que estabeleceram não só naquela semana, mas nas seguintes. Talvez seja melhor não enfocar um tema novo até que o limite anterior se instale.

Recomendamos que a decisão seja tomada por ambos os pais. Se isso não for possível – como com pais divorciados –, pode-se pedir apoio a outro membro da família que o faça. Por exemplo, um avô que converse com a criança e diga que apoia a decisão da mãe sobre o assunto em questão.

Tudo isso guarnece o limite dos pais com "profundidade estratégica". Considerando-se que antes o limite era superficial e aleatoriamente definido no calor da hora, agora ele é planejado, evidente, endossado e contínuo.

Os pais nos perguntam o que fazer em outras áreas problemáticas enquanto se concentram no assunto que escolheram como tema principal da semana. Acontece que produzir "nãos-âncora" muda o comportamento dos pais como um todo, muito além do assunto selecionado. Isso porque eles se sentem mais controlados, seguros, coordenados e persistentes. O filho também passa a receber um retorno diferente. Agora ele sabe que os pais são capazes de produzir outro tipo de "não". Os "nãos-âncora" reduzem bastante as reações parentais inócuas, porque mostram a ineficácia do falatório constante, eliminando o sentimento de caos. Considerando-se que antes o "ruído familiar" era fruto dos atos impulsivos do filho ("agora, agora, agora!"), multiplicado pelas respostas histriônicas dos pais ("não, não, não!), tudo muda. O filho pode continuar a gritar "agora, agora, agora!", mas a reação dos pais se parece mais com um longo e claro "nããããoooo". Isso transforma a atmosfera e, aos poucos, o comportamento da criança. Esse processo tem se mostrado eficaz até mesmo em casos difíceis.

**O ANÚNCIO**

O anúncio é uma ação estruturada que serve como uma espécie de rito de passagem entre a forma como as coisas eram e como serão. Os ritos de passagem – acontecimentos festivos e formais validados socialmente – marcam o fim do *status* anterior e o início do novo. Como exemplos podemos citar: primeira comunhão, casamento, divórcio, bar-mitzvá, graduação e assim por diante. Nesses casos, a mudança de *status* é marcada por um evento especial no qual não apenas as pessoas envolvidas estão presentes, mas também outras, que confirmam e validam a transição. A atmosfera formal e o envolvimento das testemunhas decorrem da necessidade de traçar um limite claro que permita aos envolvidos pensar, sentir e agir de forma diferente.

Muitos pais costumam informar os filhos sobre mudanças de atitude diante de um comportamento problemático. Tais avisos são quase sempre ignorados. Uma das explicações mais comuns para sua ineficácia é que eles são "capengas". Presume-se o seguinte: "Se houver sanções, o limite é eficaz. Se não houver, ele se anula". Tal visão é parcial e até prejudicial. Parcial porque ignora elementos fundamentais no ato de estabelecer limites, como clareza, legitimidade e decisão. Prejudicial porque o pensamento automático que tende aos castigos leva ao recrudescimento dos conflitos, retirando a legitimidade das decisões parentais.

Os castigos podem exacerbar os conflitos porque a ameaça "você vai ver só!" induz a resposta automática "é você que vai ver!" Isso prepara o palco para uma disputa de poder, com cada lado tentando fazer o outro desistir primeiro. Além disso, os castigos perderam a legitimidade, pois a maioria das punições antigas não tem mais respaldo. Em muitos casos, o endurecimento dos castigos leva os pais a usar força física, mesmo que não seja sua intenção inicial. Isso porque as punições deixam a criança cada vez mais irritada e pronta a ter um chilique. Os pais ficam num dilema: ceder à recusa ou ao contra-ataque da criança ou usar a força para refreá-la? Assim, a fé exclusiva na punição prejudica sua determinação e piora seu desamparo.

No entanto, nem toda punição é ilegítima. Nenhuma sociedade pode existir sem punições, mas elas devem ser usadas criteriosamente. Por exemplo, uma escola que decide que o aluno que colar ficará com zero usa a punição de forma legítima. O objetivo não é apenas mudar o comportamento do estudante indisciplinado, mas estabelecer uma norma para todos os alunos. Essas sanções são necessárias ao funcionamento de qualquer sistema. Porém, mesmo que elas sejam importantes em certas situações, o limite imposto pelos pais não precisa depender delas. Ao contrário, ele depende sobretudo da vontade de transmitir a seguinte mensagem: "Estamos aqui".

A definição do limite começa com os próprios pais. Eles devem esclarecer a si mesmos que diretrizes se comprometem a manter com presença e força máximas. Quando se dedicam a definir os limites, aos poucos a transformação interior desejada acontece. Nesse sentido, a formulação de um anúncio visa a promover esse processo.

O anúncio é uma semiformalidade que os pais, juntos, apresentam ao filho por iniciativa própria, no momento e local adequados. O anúncio não é feito no calor de uma discussão ou em reação imediata a um comportamento problemático; ocorre em um momento diferente – por exemplo, quando o filho está no quarto preparando-se para dormir. É necessário se preparar para fazer o anúncio corretamente.

O processo de preparação implica definir um número limitado de comportamentos problemáticos a que os pais decidem resistir com todas as suas forças. Em geral são: violência, ações que ferem os membros da família (roubo, humilhação, crueldade) ou prejudicam a própria criança (álcool, promiscuidade, evasão escolar). Tais assuntos são relativamente fáceis de definir. Por outro lado, questões mais vagas, como insolência ou desobediência em geral, embora sejam importantes, não cabem num anúncio. Isso porque é difícil julgar se dado incidente rompeu de fato os limites ("Isso é realmente insolência ou apenas cara feia?", "Ele desobedeceu intencionalmente ou esqueceu?").

Fazer o anúncio por escrito aumenta seu caráter formal e, assim, sua capacidade de marcar um momento de mudança. Alguns pais se sentem desconfortáveis porque preferem processos mais naturais e espontâneos. Mas o objetivo é estabelecer um limite que se desvie disso. É como engessar uma perna quebrada. O gesso não é natural, mas é necessário para a cura. Quando o anúncio é feito verbalmente e por escrito, isso contribui para consolidar e definir determinado limite. A mensagem que os pais transmitem é: "Esta é uma ocasião especial porque chegamos a uma situação intolerável".

Mas, apesar da formalidade, o anúncio não é anônimo nem técnico. Ao contrário, indica um limite emocional e moral, pois enfatiza a preocupação dos pais com a criança e toda a família. Por exemplo: "Resistiremos ao máximo aos seus sumiços porque não vamos desistir de você". Ou: "Não permitiremos que o computador fique ligado a noite toda porque não aceitamos que você desista da escola e se perca no mundo virtual". O anúncio termina com um esclarecimento de que a decisão decorre da preocupação dos pais com a criança. Por exemplo: "A medida atual surge do nosso dever supremo e do nosso amor por você". Ou: "Estamos fazendo isso porque nos preocupamos com você e acreditamos na sua capacidade de superar isso".

O anúncio é sempre feito na primeira pessoa do plural ("nós"), e nunca no imperativo. Os pais não devem usar frases como "você vai parar de bater nos seus irmãos!" ou "você não vai mais sair à noite sem permissão!", por dois motivos: 1) a linguagem da proibição instiga a criança a provar que os pais não estão atingindo seu objetivo; 2) o uso do "você" neutraliza a presença humana e emocional dos pais. As ordens soam anônimas, e é exatamente isso que estamos tentando evitar.

O anúncio não é um contrato. A criança não é obrigada a concordar com ele. Trata-se de uma mensagem unilateral na qual os pais comunicam uma mudança em si mesmos e em sua posição. Muitos dizem: "Mas ela nunca vai concordar!" Esse comentário mostra até que ponto eles se afastaram de seu papel: acham que qualquer posição que tomem não tem sentido a menos que a criança concorde. O anúncio implica uma mudança substancial que impede o desvio de rumo. Mesmo que a criança reclame, resista ou ignore – inclusive quando amassa o papel e o rasga em pedaços – o anúncio não é cancelado. Ao contrário, a reação desafiadora da criança dá aos pais a oportunidade de dizer: "Não esperamos que você concorde. Estamos dizendo o que vamos fazer. Nós lhe demos uma cópia do anúncio para ser justos, para não agir pelas suas costas. Vamos fazer o que dissemos, porque é nosso dever".

Muitos pais sentem que são incapazes de fazer um anúncio. Temem que a criança reaja com rejeição, raiva ou desprezo. Acostumaram-se a não insistir em nenhuma exigência com a qual ela não concorde. Os anúncios que transmitem um dever dos pais parecem violar regras implícitas. Por isso, muitos sentem necessidade de adoçá-los com justificativas, explicações e desculpas. O anúncio busca pôr fim a esse estado distorcido de coisas, criando uma posição clara contra a falta de rumo – uma mensagem na qual os pais dizem de forma simples e sincera: "Estamos aqui. Esse é o nosso dever".

*Edu (13) foi adotado quando tinha 6 anos. Apesar do bom relacionamento com os pais, estes temiam que o menino não se sentisse parte da família, e expressaram esse sentimento claramente: "Nós o adotamos como filho, mas não temos certeza se ele nos adotou". Edu atiçava essa insegurança quando, durante as discussões, dizia: "Vocês não são meus pais verdadeiros! Vocês não me amam de verdade!" Nos últimos tempos, Edu desenvolvera hábitos preocupantes: trancava-se no quarto por horas e recusava-se a responder quando os pais batiam na porta. Também ignorava quando o chamavam para comer e às vezes pulava refeições. Era viciado em games e reagia agressivamente quando os pais se atreviam a interrompê-lo. Abandonara quase por completo suas tarefas, como cuidar do cachorro ou tirar a mesa. Seus pais tentaram confrontá-lo, ameaçando reduzir sua mesada, mas Edu reagiu tão mal que eles voltaram atrás. Quando nos procuraram, pedimos que escrevessem um anúncio. O texto que prepararam revelava sua insegurança:*

> *"Querido Edu:*
>
> *Estamos muito felizes de conviver com você e sentimos que você faz parte da família. Mas isso não o isenta de nos ajudar. Por isso: a) pedimos que não tranque a porta do seu quarto (também não trancamos a nossa); b) contamos com sua ajuda para cuidar do cachorro e tirar a mesa – você tem esquecido de ajudar; c) queremos ajudá-lo a não ficar no computador o tempo todo, sem fazer mais nada; d) gostaríamos que você largasse todas as outras atividades quando chamarmos você para jantar. É muito importante para nós e também mais gostoso. Exigimos que você cumpra todos esses pedidos. Isso vai tornar a atmosfera em casa mais agradável. Não são coisas difíceis de fazer e achamos que seria bom para você.*
>
> *Com amor, papai e mamãe".*

Felizmente, o terapeuta os ajudou a reformular o anúncio: ele continha apenas a posição dos pais, sem desculpas nem súplicas. Nas semanas seguintes à entrega do anúncio, os pais ousaram insistir que a porta do quarto não ficasse trancada e as refeições fossem feitas em família. A mudança de posição ficou evidente quando Edu repetiu que eles não eram seus pais verdadeiros. Diante disso, o pai respondeu simplesmente: "Sabemos que somos seus pais, porque nosso amor e dedicação a você são a coisa mais clara da nossa vida. Mas não vamos tentar provar isso. Se você está convencido ou não, isso é com você". Dessa forma, os pais viraram o jogo sobre a questão da parentalidade. Pararam de explicar, convencer e provar. E Edu deixou de tocar no assunto.

### O SIT-IN

Originalmente, desenvolvemos o "rito" do *sit-in* como ferramenta de resistência parental aos comportamentos violentos e autodestrutivos dos filhos. O *sit-in* virou a marca registrada da nossa abordagem nos países em que se tornou conhecida. A razão é simples: ele retrata um quadro tangível de firmeza dos pais diante de problemas. Eles entram no quarto da criança em um momento tranquilo (o *sit-in* não deve ser praticado durante uma briga ou logo após um comportamento problemático), sentam-se e afirmam em palavras simples o motivo de estarem ali. Por exemplo: "Nós não vamos permitir que você bata na sua irmã. Vamos nos sentar aqui e esperar que você apresente uma solução para que isso não aconteça de novo". Após essa abertura, eles permanecem em silêncio e esperam que a criança dê alguma sugestão. Ficar em silêncio serve para evitar o conflito gerado pela tendência de ambas as partes a argumentar. No entanto, esse silêncio não expressa alheamento, mas escuta. A espera pode durar até uma hora. Se a criança dá uma ideia, os pais fazem perguntas em tom respeitoso. Mas se as sugestões da criança forem inaceitáveis, como "vou parar com isso se vocês me derem um computador novo" ou "ela começou, mas vocês sempre me culpam!", a resposta deve ser a seguinte: "No momento estamos procurando uma solução positiva. Se você tem uma sugestão prática, ficaremos felizes em ouvi-lo". E continuam sentados em silêncio. Qualquer sugestão, por mais parcial que seja, deve ser recebida positivamente: "É um passo na direção certa. Vamos testar para ver o que acontece".

Se a criança não sugerir nenhuma solução ou desafiar os pais (xingando-os ou ignorando-os ostensivamente), eles continuam sentados em silêncio sem reagir às provocações. Abster-se de reagir não mostra fraqueza, mas autocontrole. Os pais precisam demonstrar que são responsáveis por gerenciar o *sit-in*. Se reagirem à provocação e entrarem em um confronto, eles se tornarão iscas e perderão a iniciativa. Se a criança os ignorar e, por exemplo, começar a mexer no computador, os pais não devem desligá-lo. Isso pode levar ao aumento do conflito, ou até mesmo a uma explosão violenta. É melhor que permaneçam sentados em silêncio. Podem sentar-se atrás do filho, mas a uma distância segura para evitar que ele os ataque por invadir seu espaço físico. No entanto, da próxima vez devem eliminar a possibilidade de interferência do computador antes do *sit-in* (por exemplo, desligando a rede). Se durante o encontro a criança não fizer nenhuma sugestão, os pais saem do quarto uma hora depois e dizem: "Ainda não encontramos uma solução, mas vamos continuar procurando". Eles não punem a criança por seu comportamento durante o *sit-in*. Ao manter a determinação silenciosa, reafirmam-se como pais depois de um período de rendição, desrespeito ou disputa de poder. O *sit-in* simboliza concretamente a ancoragem dos pais. Também transmite a seguinte mensagem: "Estamos aqui e vamos ficar aqui".

Como o anúncio, o *sit-in* é uma cerimônia que visa sobretudo provocar uma mudança nos pais. A sugestão (ou não) da criança não é o principal. Em muitos casos, as crianças dão ideias, mas seu comportamento não muda; em outros, não dão ideias, mas seu comportamento melhora. O elemento fundamental na mudança da situação é o sentar-se decidido dos pais.

A mudança já começa na fase de preparação para o *sit-in*. Em vez de agir no calor da hora, eles planejam o movimento, encontram tempo para pô-lo em prática, combinam posições, buscam soluções para problemas logísticos (por exemplo, mandar o filho mais novo para a casa dos avós durante o *sit-in*) e decidem como resistir às reações da criança. Às vezes, optam por não realizar o *sit-in* no mesmo dia do acontecimento problemático, mas no dia seguinte ou até mais tarde. Isso não prejudica a eficácia da ferramenta – ao contrário, os pais demonstram que têm memória e que as coisas não são simplesmente esquecidas.

A melhor maneira de os pais se prepararem é unindo-se. Devem pensar em como lidar com cada provocação da criança sem se deixar levar para o conflito. Se é impossível debater o assunto (caso de pais/mães solo, viúvos ou divorciados que não se falam), a conversa de preparação pode ser feita com outra pessoa. Nela, discute-se a seguinte questão: "O que poderia transformar a sessão em uma briga fútil ou fazê-la degringolar?" O fato de elencar eventuais cenários problemáticos aprimora a postura dos pais. Sua missão é controlar-se da melhor maneira possível, sem se deixar levar por provocações, sermões, ameaças ou bate-bocas. Devem ter paciência e o propósito firme de ouvir, além de tolerar certo mal-estar. Essa preparação vale também para outras situações, pois os mesmos padrões que poderiam levar o *sit-in* a dar em nada também o prejudicam.

Embora o *sit-in* tenha sido desenvolvido para casos particularmente difíceis, ao longo dos anos descobrimos que esse tipo especial de contato também se aplica a pais cujos filhos não apresentam comportamentos extremos. Pais que conheceram nossa abordagem relatam que, com o *sit-in*, passaram a dialogar melhor com os filhos. No começo, isso nos surpreendeu. Afinal, a orientação do *sit-in* é sentar-se em silêncio e esperar que a criança faça uma proposta. Como poderia propiciar conversas produtivas? Em primeiro lugar, a preparação para o *sit-in* permite que os pais evitem sermões e broncas e estabeleçam um contato significativo. Aos poucos, entendemos que os pais que fazem melhor uso do *sit-in* são aqueles que, além da determinação, transmitem disponibilidade e atenção. Apesar de apenas se sentar em silêncio, fazem-no de forma positiva e convidativa. Quando analisamos a forma como eles agiam, aprendemos a melhorar a experiência do *sit-in* e instruir os pais. Eles não devem apenas dizer: "Vamos sentar aqui e esperar uma solução para garantir que o problema não se repita". Devem acrescentar: "Tudo que você nos disser sobre esse problema será importante. Vamos ouvir e pensar". Depois disso, eles silenciam, mas esse silêncio tem caráter único: o de vínculo. Mesmo que a criança os desafie durante o *sit-in*, os pais podem dizer no final: "Estamos interessados em ouvir qualquer coisa que você queira nos dizer. Se pensar em algo, ficaremos muito felizes em ouvi-lo".

Alguns pais desenvolveram outros modelos, como o "*sit-in* sobre rodas".

*Gil, pai de Pedro (11), descobriu que o filho roubara R$ 50 de sua carteira. Pedro era uma criança inquieta, mas nunca fizera nada que preocupasse os pais. Primeiro eles procuraram entender o que o levara a roubar. Tentaram encorajá-lo a falar usando uma abordagem sensível, mas Pedro os evitou. Gil acreditava que Pedro se metera em problemas por causa de um novo amigo, que tinha fama de arruaceiro. Temia que o silêncio de Pedro visasse proteger o amigo, que podia tê-lo induzido a roubar. Gil conhecera o* sit-in *em uma palestra, mas não se achava capaz de ficar sentado tranquilamente no quarto do filho durante uma hora. Ele nos disse: "Acho que sou tão agitado quanto meu filho. Não consigo ficar parado durante uma hora". Mas Gil tinha uma solução diferente: ele gostava de fazer longas viagens. O ato de dirigir lhe dava uma sensação de liberdade e relaxamento. Certo dia, Gil chamou Pedro e disse que ambos precisavam pensar no que acontecera. Eles permaneceram em silêncio na estrada. Quando Pedro lhe perguntou aonde estavam indo, o pai respondeu: "Não importa! O que importa é que vamos estar juntos e pensar juntos". Duas horas depois, pararam em um restaurante à beira da estrada. Gil fez o pedido e esperou calmamente que a comida chegasse. Então perguntou a Pedro: "Você precisa de mais alguma coisa?" Pedro meneou a cabeça. Gil continuou: "Há alguma coisa de que você precisa e tem vergonha de pedir?" Pedro ficou de olhos marejados. Gil continuou: "Não acho que pegar o dinheiro tenha sido ideia sua. Você não é assim. Não precisa me dizer de onde saiu a ideia: talvez você queira ser leal a um amigo. Posso estar enganado, mas acho que você foi tentado a fazer algo que não é do seu feitio. Sua mãe e eu vamos ficar de olho em você e garantir que isso não aconteça de novo. Mas acho que você vai recuperar* *a nossa confiança". Quando eles deixaram o restaurante, Gil abraçou o filho carinhosamente e foi correspondido. Ficou claro que a relação se fortalecera, mas de uma forma mais madura e sincera.*

O *sit-in* pode transmitir determinação e intimidade. Às vezes predomina a determinação; em outras, a intimidade. No caso do "*sit-in* sobre rodas" ambos predominaram. O deslocamento silencioso e contínuo transmitiu determinação, enquanto a conversa no restaurante demonstrou intimidade. O fato é que o *sit-in* indica que o vínculo rompido pelo desamparo, pela raiva ou pelos conflitos foi refeito. A persistência, o autocontrole, a abertura e a atenção criam circunstâncias que recuperam a parentalidade. Portanto, o *sit-in* serve como um rito de passagem: do desvio de rota para a presença.

## PARE DE DAR À CRIANÇA COISAS E CONDIÇÕES QUE A PREJUDICAM

Um limite crucial, embora às vezes difícil de praticar, é aquele que os pais precisam estabelecer para si mesmos quando percebem que sua generosidade é prejudicial. Todos nós conhecemos situações em que satisfazer o outro é danoso, como dar doces a uma criança diabética ou comprar um carro para um adolescente imprudente. Nesses exemplos, os pais dão ao filho o instrumento com o qual ele pode se machucar. Mas os casos mais comuns são aqueles em que a possibilidade de dano é menos visível ou socialmente aceitável. Por exemplo: a) celular e computador são necessários às crianças, mas às vezes elas se viciam, negligenciam suas obrigações ou se privam do sono; b) a privacidade é importante para o desenvolvimento dos adolescentes, mas às vezes eles transformam o quarto em "zona livre de pais", onde podem praticar atos problemáticos sem impedimentos; c) a mesada às vezes serve para comprar jogos viciantes ou drogas. Nessas situações, os pais podem não ter a clareza necessária para agir de forma decisiva e proteger os filhos.

No processo de fixação de um limite, os pais definem um limite sobretudo para si mesmos. Para tanto, devem resolver a confusão e a ambiguidade que prejudicam sua parentalidade. Um passo importante é reconhecer as armadilhas que levam o limite parental a desaparecer no abismo do "dar sem pensar".

Esse é um problema comum que prejudica a legitimidade dos pais. Benesses como computador, celular, mesada e direito de usar o quarto como quiser são a regra. Mesmo quando a criança abusa, muitos pais se perguntam: "Posso suspendê-las? É legítimo?", "Não vou tornar meu filho diferente dos outros?" Essas dúvidas enfraquecem-nos. Estabelecer limites nesses casos já é difícil, mas piora se os pais têm dúvidas sobre a legitimidade do ato. Assim, tornam-se vulneráveis às críticas do entorno, às reclamações da criança ou aos próprios questionamentos.

Para criar uma boa base interna, os pais devem se perguntar: "As vantagens que dou ao meu filho são prejudiciais?" Às vezes eles têm dificuldade de se fazer essa pergunta, porque algumas vantagens são consideradas tão naturais que nem soam como tal. Para muitos, computador, celular, privacidade total e até mesmo uma mesada generosa são itens básicos – mesmo quando a criança fica viciada em games, usa o celular para contatos ilícitos, isola-se no quarto e compra drogas com a mesada. O mesmo vale para os benefícios que os pais continuam dando a filhos adultos mesmo que não façam faculdade, não trabalhem e não demonstrem vontade de ser independentes. Alguns pais proporcionam aos filhos adultos todas as comodidades domésticas e outras mais, como carro, gasolina e seguro. E às vezes também pagam suas multas.

O medo de ser vistos como maus pais é outra armadilha que os desvia da conclusão óbvia de que estão proporcionando benefícios prejudiciais aos filhos. Não é raro que se justifiquem dizendo que o filho está sofrendo e precisa de ajuda. Porém, "ajudá-lo" dessa forma é prejudicial. Quando decidem compensar a criança por ser infeliz, os pais apenas confirmam que ela é uma coitada. Tudo isso agrava a sensação de incompetência e inutilidade. Além do mais, ela internaliza a ideia de que tem direito a ajuda vitalícia. Muitos pais, quando tentam eliminar essas benesses, ouvem da criança que seus direitos fundamentais estão sendo desrespeitados.

Alguns pais tendem a pensar que limites não têm sentido, pois o filho é capaz de encontrar outras maneiras de obter as vantagens que eles possam suspender. Essa posição se reflete em afirmações como: "Não adianta proibir o computador em casa. Ele vai usar o dos amigos". Ou: "Não adianta nada proibir. Ele vai fazer de qualquer maneira". Supõem, assim, que definir limites só vale a pena se resolver o comportamento problemático. No entanto, o limite parental significativo vai muito além disso: ele marca a diferença entre o permitido e o proibido, cria uma posição moral para os pais e estabelece uma presença constante, mesmo quando a criança consegue contorná-la. Há uma enorme diferença entre a sensação de que os pais estão desistindo e a sensação de que estão lutando pela parentalidade, mesmo quando a criança transgride os valores que tentam ensinar a ela. O filho que sente que os pais desistiram dele não se sente acompanhado. Os pais, por sua vez, podem ter uma sensação de liberdade, mas sentem-se abandonados. Ao contrário, a criança que encontra limites parentais firmes e calorosos sente que os pais lhe são próximos e não desistem dela.

Essa percepção tem grande impacto na forma como os pais informam ao filho que ele perderá os privilégios nocivos. Eles anunciam que sua decisão reflete seu dever parental de cuidar. Os apoiadores entram em cena para ajudá-los a lidar com o problema e enfatizar a legitimidade de sua posição. Todos se preparam para enfrentar as tentativas da criança de contornar a situação. Nesse caso, os pais dizem: "Não temos como impedir que você tenha acesso às coisas que lhe são prejudiciais. Mas nós não vamos lhe dar tais coisas. Esse é o nosso dever como pais amorosos".

Às vezes, os pais nos perguntam quais são os benefícios realmente necessários à criança. Em nossa opinião, as únicas coisas que devem ser garantidas, independentemente do comportamento da criança, é a alimentação e o acesso à saúde. Até mesmo o direito de morar com os pais pode, em certas situações, não ser dado como certo – por exemplo, quando um filho já adulto impõe regras cruéis à família e usa de violência para mantê-las. Essa situação extrema não é rara. Tratamos centenas de famílias em que adolescentes ou jovens adultos se comportavam como tiranos – e isso é só a ponta do iceberg de um problema que está se tornando comum na pela sociedade moderna.

A seguir, uma série de perguntas que os pais podem se fazer para decidir se os benefícios que dão aos filhos são um problema:

- Meu filho usa o computador ou o celular de forma prejudicial?
- Ele se isola demais no quarto?
- Ele usa o quarto e/ou a mesada para fins ilegítimos?
- Meu filho merece usar o carro? Ele é responsável para tanto?
- Permito ao meu filho coisas que são inadequadas para sua idade e seu nível de desenvolvimento?

Quando refletem sobre essas questões, os pais às vezes concluem que cortar benefícios nocivos não só é legítimo como necessário. Isso não os torna maus pais. Ao contrário, restaura a verdadeira base de sua parentalidade: a preocupação com a criança e a família.

*Depois que recebeu o diagnóstico de doença de Crohn, Fred (16) mudou drasticamente de comportamento. Abandonou a escola e passou a andar com uma espécie de gangue. Os pais sabiam que ele fumava maconha e às vezes chegava bêbado. Certa vez, seus amigos o levaram em coma alcoólico para o hospital. Recebia uma mesada generosa, só usava roupas de marca e tinha um celular último modelo. Seus pais, Fernando e Vivian, sentiam-se indefesos quando procuraram ajuda. Temiam fazer algo que deixasse Fred com raiva, desinteressado ou deprimido. Também tinham medo de que, se parassem de lhe dar dinheiro, ele pedisse a parentes ou roubasse. Aos poucos, Fernando e Vivian conseguiram desenvolver um plano para recuperar sua presença. Usaram a família extensa, amigos e líderes comunitários. Perceberam que os privilégios de Fred eram parte do problema. Certa manhã, entraram no quarto dele acompanhados do avô e lhe disseram: "Percebemos que estamos prejudicando você dando dinheiro, celular e todas as condições para manter um estilo de vida destrutivo. Decidimos cortar sua mesada. Cortamos o plano de internet e as roupas novas. Também não vamos permitir que você se tranque no quarto. Continuaremos a supervisioná-lo e fazer tudo para melhorar nosso relacionamento com você, exceto comprar seu amor". Dois dias depois, Fred descobriu que a internet do celular fora cancelada. Ele tinha economias e presentes que ganhara dos pais e de outros parentes, mas em um mês torrou tudo. Em certa ocasião, roubou RS 100 da carteira da mãe, mas a partir daí os pais começaram a tomar mais cuidado com o dinheiro. Eles também tiraram os objetos de valor da casa, temendo que Fred tentasse vendê-los. Quando se deu conta da determinação dos pais, o rapaz convidou vários amigos e se isolou no quarto com eles. Vivian bateu na porta, mas ele não respondeu. Ela chamou Fernando e juntos eles lhe disseram que, naquelas circunstâncias, tinham de pedir aos garotos que se retirassem. Depois de alguns minutos de discussão, os meninos foram embora. Fred conseguiu alguns bicos para pagar seus hobbies. Três meses depois, inscreveu-se num programa comunitário para estudantes que haviam abandonado a escola. Aos poucos, reconquistou alguns de seus direitos. Alguns meses depois, seus pais sentiram que ele voltara a uma rotina positiva. Eles nunca tiveram dúvida de que cortar os privilégios foi fundamental para resgatá-lo.*

**REPARAÇÕES**

Até mesmo as crianças pequenas entendem o significado de ações realizadas para compensar a dor de alguém. No livro *The new authority: family, school, and community* [A nova autoridade: família, escola e comunidade], descrevi um programa que implementamos em creches para incentivar pequeninos de mais de 4 anos a se retratar quando machucavam alguém. As crianças entenderam o significado da demanda e a necessidade de corrigir seus atos. Uma placa, pendurada no pátio principal da creche, exibia os presentes simbólicos que eram dados às crianças machucadas, como desenhos, cartazes e brinquedos feitos de sucata. Essa estratégia tornou-se fundamental no combate à violência contra alunos e professores. Engajando crianças e adultos, o programa ampliou o envolvimento dos pais e estreitou a aliança entre pais e professores. O ambiente melhorou e a violência diminuiu de forma bastante significativa.

A retratação é um elemento importante para as relações interpessoais em todas as sociedades. Sua contribuição à educação é inestimável. Quando os pais explicam aos filhos a necessidade da compensação, atingem uma série de objetivos:

- desenvolvem a sensibilidade da criança ao sofrimento dos outros;
- aprimoram seu senso de responsabilidade;
- ajudam a restabelecer sua relação com a comunidade;
- recuperam seu sentimento de que, mesmo que machuquem alguém, podem voltar a ser boas pessoas;
- criam um fato que ficará gravado em sua memória e a ajudará a distinguir as coisas como eram das coisas como serão.

A primeira etapa do processo é uma conversa sobre a necessidade da reparação. Tal conversa precisa se dar num clima positivo. Não há contradição entre a necessidade de retratação e o diálogo tranquilo. Exigir reparação não é o mesmo que punir. Portanto, é absurdo achar que, criando condições agradáveis, os pais estão "premiando" a criança por seus atos.

A conversa deve começar com uma afirmação simples: "Você machucou X. Vamos pensar juntos em uma maneira de você compensar isso". O dano deve ser descrito em linguagem simples e concreta, com palavras como "você bateu", "você roubou", "você destruiu" ou "você xingou". A parte ofendida pode ser um coleguinha, um professor, a faxineira, a classe ou a escola. Muitas vezes, a criança apresenta argumentos em defesa própria. É importante ouvi-los e tratá-los com seriedade: "Entendemos que você fez isso porque estava chateada. Mas você agiu mal e o que fez é errado, mesmo que tenham magoado você primeiro". Às vezes a criança nega seus atos, apesar das evidências. É importante contestá-la, mas sem entrar em confronto: "Não se trata de provas, mas de reparar a situação. E estamos dispostos a ajudá-la". Para certas crianças, não é suficiente:

elas insistem que estão sendo injustiçadas. Nesses casos, a discussão deve ser interrompida mesmo que a criança fique frustrada. Os pais dizem: "Somos parte disso porque você é nosso filho e somos responsáveis por você. Precisamos procurar uma solução que corrija a situação para todos nós".

Na verdade, é social e legalmente esperado que os pais assumam parte da responsabilidade quando o filho causa dano a alguém. A explicação deve ser a seguinte: "Quando você machuca alguém, nós também somos responsáveis por isso. Por exemplo, se você danificar alguma coisa, temos de pagar pelo conserto". Além disso, os pais sentem (ou deveriam sentir) vergonha quando o filho machuca alguém. Seu *status* social pode ficar abalado, sobretudo se eles não reagirem da forma correta. Portanto, a afirmação "fazemos parte disso" é uma mensagem coerente com a realidade.

Quando os pais participam da reparação, fica mais fácil para a criança retratar-se sem se sentir humilhada. Por exemplo, se dizem a ela "vamos juntos procurar o professor, entregamos a ele uma carta assinada por nós três e ajudamos você a preparar e executar a reparação", isso lhe dá respaldo. A retratação é feita porque a família a apoia, incentiva e fortalece, o que lhe dá uma saída honrada para o problema. As crianças entendem bem isso. A mensagem é ainda mais forte quando o entorno reage bem. Por exemplo, quando o professor diz à criança: "Sua dignidade é importante para nós. Então pedimos aos seus pais que estejam ao seu lado no momento da retratação, para que você a faça com honra". Após a reparação, o professor acrescenta: "Bom trabalho! Você e seus pais são uma ótima família!" Até mesmo as que de início reclamam sentem-se orgulhas quando elas e a família são elogiadas pelo professor.

O fato de os pais compartilharem a responsabilidade permite que eles ajam mesmo quando a criança se recusa a fazê-lo. Assim, se ela machuca um colega, mas recusa-se a pedir desculpas, os pais entregam à professora ou professor carta de desculpas da família. Se danificar um bem, os pais entregam, além da carta, um substituto ou uma compensação monetária. Nesses casos, eles dizem ao filho: "Somos responsáveis com você. Então estamos nos desculpando e fazendo uma compensação financeira porque é nosso dever. Você pode juntar-se a nós. Mas, se optar por não fazê-lo, nós decidiremos como cobrar você mais tarde". É importante dizer isso em um tom de voz positivo. O tom ameaçador reforça a tendência da criança a resistir. A mensagem dos pais será ainda mais forte se um apoiador lhe disser: "Sei que seus pais estão escrevendo uma carta de desculpas e compensando o mal que você fez. É o dever deles tanto com você quanto com os outros. Estou disposto a ajudá-la a participar do processo para que sinta que está fazendo isso de maneira digna". Se a criança ainda assim se recusar, os pais fazem a retratação e, em seguida, informam à criança quanto ela deve. Existem diferentes maneiras de cobrá-la: reduzir o valor da mesada por um tempo, restringir o acesso ao brinquedo preferido ou retirar benefícios que custam dinheiro. Uma afirmação simples é a melhor maneira de fazer a mensagem repercutir na mente da criança. Em alguns casos, as que se recusavam a cooperar mostraram posteriormente que aquilo as marcou. Isso torna as retratações diferentes das punições tradicionais.

Retratações e indenizações também podem ocorrer dentro da família – por exemplo, quando a criança machuca um irmão, os pais ou danifica um bem. O pai lhe diz: "Você machucou sua mãe e deve se retratar com ela. Se quiser pensar comigo numa maneira de compensá-la, vou apoiá-la e ajudá-la". Se a criança se recusar, ele diz: "Se não estiver pronta, eu mesmo farei a compensação e pensarei em como você pode pagar sua parte".

Uma retratação especialmente boa dentro da família é um passeio com a pessoa agredida. Por exemplo, o pai leva a mãe ou a irmã agredida ao cinema ou à lanchonete e a criança arca com os custos da forma que os pais decidirem. É fundamental que a pessoa agredida receba proteção contra qualquer tentativa de vingança por parte do agressor.

Um elemento importante nas reparações é o exemplo. Os pais dão um exemplo pessoal quando assumem sua responsabilidade e participam das reparações. Os adultos dão um grande exemplo quando se mostram dispostos a corrigir os próprios erros. Inúmeros pais nos relatam casos em que se deram conta de que agiram mal, como gritar com o filho. Admitir o erro, expressar arrependimento e afirmar honestamente a intenção de fazer de tudo para não repeti-lo levou, em alguns casos, a uma virada na relação. Para muitos pais, é difícil admitir um erro quando se sentem indefesos. Porém, quando se sentem mais fortes, encontram coragem para fazê-lo.

As retratações são um exemplo particularmente marcante de limite amoroso. Ao contrário da punição tradicional, em que os pais impõem castigos de fora e são apenas "executores" de um desfecho ruim, nas retratações eles se envolvem inteiramente: permanecem ao lado do filho, ajudam-no a realizar o ato, protegem sua dignidade, compartilham sua responsabilidade e assumem parte do fardo. Portanto, dão a ele uma sensação de pertencimento. Quando ouve "você e seus pais fizeram uma coisa maravilhosa!", o filho experimenta satisfação e pertencimento. É muito raro que diga: "Eles fizeram isso contra a minha vontade". Em geral, o filho fica feliz com os elogios a ele e à família. Mesmo que não tenha se envolvido diretamente na reparação, aos poucos ele entende. Em parte, porque esse ato contribui para melhorar as relações com o entorno. Após uma reparação, em geral as agressões diminuem, mesmo que o filho tenha se recusado a cooperar. É como se, depois que uma retratação foi feita em seu nome, tivesse vergonha de ser violenta.

**DICAS**

- Sempre que definir um limite para seu filho, estabeleça um limite para si mesmo(a). Essa será a fronteira que você estará determinado(a) a defender.
- Tente identificar reações suas que contribuem para a disputa de poder. Discussões, longas explicações, sermões e broncas só pioram o conflito.
- Note sua tendência para a "ladainha do não". O antídoto contra eles são os "nãos-âncora".
- Aprenda a falar na primeira pessoa do plural ("nós"). Evite anúncios do tipo "você tem de!"

- Verifique se o filho usa seus benefícios de forma destrutiva.
- Se for assim, é essencial suspendê-los, mesmo ele possa usufruir deles de outra maneira.
- Pergunte a si mesmo(a) se está dando ao seu filho "prêmios de consolação" que o fazem sentir-se um coitado.
- Você reagiu mal ao seu filho? Considere a possibilidade de se desculpar de forma digna. Isso não vai enfraquecer você – ao contrário.
- Ofereça-se para ajudar seu filho a se retratar. Diga-lhe que vocês são uma família e, portanto, devem fazê-lo juntos.
- Chame um apoiador que explique a necessidade de reparação.
- Se a criança não cooperar, retrate-se no lugar dela e pense numa maneira de cobrá-la mais tarde.

# 6. Medos

Os medos existem não apenas na cabeça da criança, mas também entre elas e os pais. A razão é simples: a criança medrosa instintivamente pede ajuda aos pais. Essa é uma reação inata enraizada no instinto de sobrevivência. A tendência a se apegar ao adulto mais próximo, que pode proporcionar proteção e segurança, é universal. De fato, os pais são a garantia de que a criança poderá crescer sã e salva, apesar de sua fragilidade e vulnerabilidade. Mas o instinto de buscar refúgio nos pais nem sempre distingue os perigos reais dos imaginários, e a criança procura esse refúgio mesmo quando não há perigo real. Como os pais devem agir? Como ajudar a criança a se tranquilizar e se desenvolver?

O princípio de dar *apoio* em vez de *proteção* abre caminho para a superação dos medos. Os bebês, claro, precisam de uma dose extra de proteção e apoio. Nos primeiros meses de vida, a mãe está vinculada a ele. Ela o alimenta, abraça e acalma. Hoje, o pai também desempenha papel importante na vida do filho. A mãe e o pai se alternam e se completam para criar as primeiras experiências interpessoais do bebê – trocando olhares com ele, imitando suas expressões faciais e fazendo brincadeiras físicas e vocais. Porém, desde os primeiros meses de vida, é benéfico para o bebê ser deixado consigo mesmo em certos momentos; assim ele desenvolve os fundamentos iniciais da capacidade de se acalmar e agir com independência.

Pais superprotetores tentam evitar que a criança sinta qualquer angústia. Quando ela dá sinais de ansiedade, correm para acalmá-la ou afastar de imediato o que a assustou. Parecem temer que sinta medo e tendem a acreditar que a experiência da angústia pode lhe fazer mal.

Porém, esse sentimento não é prejudicial, a menos que seja vivenciado em circunstâncias extremas. As crianças precisam experimentar a ansiedade para aprender a lidar com ela, e a tentativa dos pais de impedir que passem por isso é danosa.

Existem várias razões pelas quais a proteção dos pais perpetua os problemas de ansiedade: a) as crianças não aprendem que são capazes de tolerar a ansiedade; b) não aprendem que a ansiedade tem um limite próprio, o que significa que tende a diminuir depois de aumentar; c) não desenvolvem habilidades de enfrentamento – ao contrário, esperam que os pais as "resgatem"; d) têm a impressão de que os pais temem que sintam medo; e) concluem que os pais acham que elas não conseguem lidar com tal sentimento; f) aprendem com os pais que é importante evitar qualquer situação indutora de ansiedade. Todos esses processos prejudicam o desenvolvimento e a resiliência infantis.

As lições negativas que a criança aprende com a superproteção dos pais podem ser resumidas em uma série de crenças que ela desenvolve sobre si mesma e sobre os estados de ansiedade que experimenta:

- Sentir medo é horrível!
- Não consigo sobreviver ao medo!
- Meus pais não suportam meu medo!
- Se eles não me resgatarem, meu medo vai crescer sem parar!
- Preciso evitar qualquer situação que possa me assustar!
- Se eu começar a sentir medo, devo pedir ajuda imediatamente!

Quando os pais desenvolvem a capacidade de apoiar em vez de proteger, permitem que os filhos se libertem dessas crenças nocivas.

Porém, existe outra posição parental, oposta à superproteção, que também pode destruir a capacidade de enfrentamento da criança ansiosa: a superexigência. Diante dos medos dos filhos, esses pais se enfurecem e exigem que eles os superem imediatamente. Acreditam que jogar a criança na água é a melhor maneira de fazê-la aprender a nadar. Outros creem que ela precisa ser punida ou repreendida até deixar de ter medo. Fazendo uma analogia, podemos dizer que pai protetor carrega o filho no colo, impedindo-o de andar; já o pai exigente o empurra com força até ele cair.

Os pais superexigentes, assim como os superprotetores, têm boas intenções. Sabem que sua postura pode perpetuar a ansiedade do filho e se preocupam com as dificuldades dele. Porém, quando as exigências são incompatíveis com a capacidade da criança, ela sofre. Se imaginarmos que ela está subindo uma escada, os pais superexigentes tornam os degraus muito mais altos e íngremes. Às vezes, tentam incentivar a criança ansiosa com exemplos pessoais ("vou lhe mostrar que não há nada a temer!"). Ela, porém, por admirá-los pela coragem, sente-se comparativamente inferior e incompetente. Assim, o exemplo pessoal tem o resultado contrário: a criança se convence de que não tem a menor chance de atender às expectativas parentais.

Os pais ficam desapontados e concluem que a criança não está se esforçando ou não quer superar a dificuldade. Interpretam seu comportamento como uma manipulação pensada exclusivamente para obter vantagens e diminuir exigências. A decepção pode levá-los a sentir raiva, ser mais exigentes e até mesmo dar um ultimato: "Ou você começa a agir ou desisto!" Em consequência, a criança se afasta.

Assim como os pais superprotetores ensinam lições negativas aos filhos, o mesmo acontece com pais superexigentes. Nesse caso, a criança pode desenvolver sentimentos problemáticos, como:

- A única coisa que sei fazer é decepcionar meus pais!
- Se estou com medo, é porque sou inferior!
- Nunca vou atender às expectativas deles!
- Eles acham que estou mentindo!
- Tenho um motivo duplo para ter medo: da coisa em si e da raiva dos meus pais!

Tanto os pais superprotetores quanto os superexigentes privam o filho de uma experiência estabilizadora de ancoragem contra os medos que o perturbam. Os superprotetores não servem de âncora porque tendem impulsivamente a proteger e resgatar a criança. Já os superexigentes são irritáveis, agressivos e mal-humorados. Ambos amplificam o redemoinho que engole a criança em vez de ajudá-la a se estabilizar. Essa desestabilização é maximizada quando um dos pais protege e o outro exige. Tal situação é muito comum, sobretudo porque a mãe protetora tende a tornar o pai superexigente – e vice-versa. Assim, diante de um cônjuge protetor, o outro pensa: "Sou o único que exige ação do meu filho, então tenho de aumentar a pressão". Diante de um pai superexigente, a mãe pensa: "Sou a única que protege meu filho dos seus medos, então preciso acolhê-lo ainda mais". Essa gangorra entre os cônjuges aumenta a angústia da criança.

## OS MEDOS DESAPARECEM SOZINHOS?

Todos sabemos que crianças pequenas têm mais medos do que as maiores. O medo de animais, de monstros, de estranhos ou de ficar sozinhas é muito mais comum nos primeiros anos. Para a maioria, esses medos desaparecem ao longo do processo natural de crescimento. Quando reconhecem tais processos, os pais deixam o caminho livre para que os filhos cresçam.

### À medida que as crianças crescem, sua independência aumenta

Isso ocorre em consequência do desenvolvimento físico. Elas aprendem a engatinhar, andar e correr por determinação biológica. A ampliação das habilidades motoras permite que façam coisas que antes demandavam ajuda. Os pequenos tentam repetidamente dominar novas atividades e gostam da prática e do controle. A expansão de seu campo de ação independente os expõe a novos estímulos. De início, alguns desses estímulos geram ansiedade, mas a exposição repetida e a aquisição de habilidades fazem a angústia desaparecer. Por exemplo, a criança que fica em pé sem apoio pela primeira vez dá sinais de cautela, como se estivesse um pouco preocupada com a independência. Contudo, a vontade de seguir em frente a faz tentar de novo e de novo. Esse é um exemplo de superação da ansiedade, pois a maioria dos bebês consegue fazê-lo. Outros exemplos são engatinhar para longe dos pais, estar em situações em que não há contato visual com eles, ficar com um estranho sem a presença deles e assim por diante. Nesses casos, a maioria das crianças experimenta alguma ansiedade inicial, mas o desejo de independência, o incentivo do ambiente e a própria repetição das tentativas fazem a angústia desaparecer aos poucos.

### À medida que as crianças crescem, passam cada vez mais tempo com pessoas de fora da família nuclear

A ampliação do espaço físico da criança ocorre em paralelo à expansão do seu espaço social. Esse processo é significativo para a superação natural da ansiedade. Por exemplo, estar com outras pessoas ajuda os bebês a vencer uma reação denominada ansiedade de estranhos. Pesquisas sobre desenvolvimento infantil identificam que, entre 6 e 12 meses de idade, muitas crianças demonstram angústia quando alguém de fora da família nuclear tenta pegá-las no colo ou ficar sozinho com elas. Esse fenômeno era considerado universal, até que pesquisas antropológicas provaram o contrário. Descobriu-se que, em culturas cuja norma é que os bebês sejam carregados e cuidados por outras pessoas, o fenômeno inexiste. Nessas sociedades, os casos patológicos de fobia social são menos comuns do que na nossa, já que desde cedo as crianças ficam com outros adultos sem que os pais estejam presentes.

Estar com pessoas de fora da família nuclear ajuda a superar a ansiedade não só de bebês, mas também de crianças mais velhas, por dois motivos: 1) com outros adultos, a criança é menos regressiva – por exemplo, menos dependente e infantil – do que com os pais; 2) esses adultos são menos inclinados a proteger imediatamente a criança quando os primeiros sinais de ansiedade aparecem. Tal "insensibilidade" leva à adaptação. O próprio fato de seu entorno não correr para protegê-la da ansiedade sinaliza que a situação não é tão perigosa quanto ela imaginava. Tendemos a olhar ao redor para confirmar nossas emoções. Quando o ambiente sinaliza que há algo a temer, vemos isso como prova de que nosso medo é justificado, e vice-versa.

## À medida que as crianças crescem, precisam cumprir mais obrigações

Existe uma ligação essencial entre as obrigações e a superação da ansiedade. Obrigações são situações em que a criança recebe a seguinte mensagem: "Não há escolha, você tem de fazer isso". Um exemplo clássico é a entrada na educação infantil. Para muitos pequeninos, é difícil ficar sozinhos no primeiro dia de aula, sobretudo se antes passavam todo o tempo com os pais. Porém, como a educação é obrigatória por lei, os pais transmitem aos filhos a ideia de que não há escolha. Mesmo que seja difícil levá-los à creche pela primeira vez, o fato de ser obrigatório ajuda os pais a superar a situação. Algumas crianças choram desconsoladamente. Mas, em geral, superam a situação em poucos dias. Essa é uma conquista significativa do desenvolvimento. Mesmo que não consigam nomear o fenômeno, a experiência de vencer um medo será gravada em sua psique. As experiências de orgulho se repetem ao longo de toda a infância e a adolescência. Uma criança em idade escolar diz orgulhosa: "Foi muito difícil, mas consegui!" Tais experiências constroem nossa autoimagem e nos dão a base para enfrentar os desafios da vida.

Não basta que o ambiente nos valorize para sentirmos que temos valor. Também precisamos de um tipo diferente de experiência: aquelas que nos ajudem a superar as dificuldades. Portanto, as crianças que não são obrigadas a cumprir quaisquer obrigações realmente sofrem de privação! Não privação de amor, porque às vezes os pais as livram de todas as obrigações precisamente por amá-las sem limites. Elas sofrem a privação de obrigações ou experiências que dizem: "Não há escolha! Você tem de fazer isso!" Sem isso, têm dificuldade de desenvolver resistência contra a ansiedade e a frustração. As obrigações constroem não apenas nossa identidade social, mas também nossa autoestima.

Tudo isso faz parte do desenvolvimento-padrão e, em certa medida, acontece com todas as crianças. Portanto, a maioria supera seus medos da primeira infância de forma espontânea. Às vezes, porém, os pais interferem inadvertidamente nesse processo natural. Alguns se sentem ansiosos quando os filhos se tornam mais independentes, o que os leva a correr atrás deles para "protegê-los de si mesmos". Muitos têm medo de deixar a criança sob o cuidado de outras pessoas ou correm para abraçá-la assim que percebem os primeiros sinais de angústia. Isso aumenta o medo que a criança tem de estranhos e a impede de aprender a lidar com a angústia.

A maioria das crianças consegue superar os medos da infância, mesmo que os pais às vezes "atrapalhem". No entanto, para aquelas que são naturalmente ansiosas e evasivas, isso pode ser problemático. Pesquisas mostram que crianças com transtornos de ansiedade – ou seja, que sofrem de medos intensos e duradouros – apresentam essa tendência quando bebês e durante toda a infância. Seu sistema nervoso é super-reativo diante de estímulos ameaçadores. Muitas dessas crianças nascem de pais que também sofrem de ansiedade. A combinação entre sensibilidade e abordagem parental protetora ou ansiosa pode levá-las a desenvolver transtornos de ansiedade.

Para que os pais superem o impulso de superproteção, precisam de uma premissa clara e inequívoca em que possam se ancorar diante dos medos da criança. Pesquisas mostram que as reações de evitação aprofundam e perpetuam a ansiedade, enquanto a exposição sistemática e segura a situações assustadoras é o segredo para superá-las.

## PREVENÇÃO E EXPOSIÇÃO

A evitação é uma reação necessária quando se trata de perigos reais. As crianças naturalmente rejeitam lugares altos e estímulos que provocam dor. Todavia, nos transtornos de ansiedade, elas evitam não só as situações perigosas como aquelas necessários para o seu funcionamento normal. Assim, crianças com fobia social evitarão com todas as forças situações em que tenham de interagir com coleguinhas; aquelas com angústia de separação evitarão separar-se dos pais ainda que por um instante, e as que têm medo de doenças evitarão qualquer situação em que haja chance de contágio. A evitação cria circuitos negativos que agravam a ansiedade e aprofundam a incapacidade da criança de lidar com a realidade.

Assim como a evitação é um processo universal que perpetua os transtornos de ansiedade, a exposição a situações assustadoras é um processo universal que permite superá-los. A exposição aumenta a ansiedade em curto prazo, mas sistematicamente a reduz se continuar. O medo surge sobretudo antes do encontro com a situação assustadora e e no início dela. Mas, com o passar do tempo, o desastre que a criança teme não se materializa, a ansiedade diminui e as habilidades de enfrentamento se fortalecem. Assim como a evitação cria um círculo vicioso, a exposição cria um círculo virtuoso. As crianças descobrem que a intensidade da ansiedade diminui, que podem suportá-la e que são capazes de ganhar autonomia.

As melhores experiências de exposição são graduais. A ideia de expor a criança de uma vez a uma situação assustadora pode ser uma armadilha, pois ela fará qualquer coisa para escapar. Além disso, por vezes se sente tão indefesa que perde a capacidade de mostrar força. Muitas crianças desenvolvem uma resistência profunda a qualquer exposição após uma tentativa fracassada de exposição forçada. Portanto, no tratamento dos transtornos de ansiedade, o processo é gradual e o apoio, fundamental. A tarefa que a criança precisa enfrentar é dividida em pequenos passos. Já a tentativa de "jogá-la de cabeça" pode transformar cada passo, mesmo que pequeno, num abismo. Os pais não devem temer que os filhos sejam expostos precocemente quando surge uma oportunidade apropriada – por exemplo, quando a criança quer participar de uma atividade interessante que requer exposição a estímulos outrora assustadores. Essas oportunidades permitem progressos rápidos, e vale a pena procurar formas de dar à criança o impulso positivo e o apoio que a ajudarão a ter sucesso. Vejamos uma experiência pessoal (Haim Omer).

*Quando criança, eu tinha medos que não só me causavam muito sofrimento como limitavam minha capacidade de desfrutar de atividades interessantes. Meus pais tendiam a não me expor a situações difíceis, sobretudo depois que fui dormir na casa de um amigo, acordei chorando e liguei para eles implorando para que me buscassem. Cerca de dois anos depois, meu pai me levou para visitar meu irmão, que era três anos mais velho, num acampamento de férias. Passei o fim de semana inteiro lá com meu pai e, antes de sairmos, um dos monitores me perguntou se eu gostaria de ficar. Ele me levou para jantar com o grupo que achei mais interessante em todo o acampamento. Então chamou meu pai e disse: "Haim faz parte do grupo! Ninguém quer que ele vá para casa! Ele pode ficar?" Só anos mais tarde descobri que o esquema fora planejado por meu pai. Quando ele chegou em casa sem mim, disse à minha mãe, que era muito protetora, que eu tinha implorado para ficar (o que era verdade). Foi uma experiência seminal que me deu força para enfrentar meus medos também em outras situações.*

## MUDANÇAS PARENTAIS QUE AJUDAM A REDUZIR AS RESSALVAS À EXPOSIÇÃO INFANTIL

### Superando o medo da criança de ter medo

Os pais que se apressam em tirar os filhos de qualquer situação indutora de ansiedade sinalizam temer que eles tenham medo. A mensagem que enviam inadvertidamente é: "O medo é terrível e devemos fazer todo o possível para evitar". É o que se chama de "aliança ansiosa"[2]. Em outras palavras, em vez de os pais serem aliados da criança e demonstrarem uma postura de fortalecimento, sua ansiedade "forja" uma aliança com a ansiedade da criança, o que intensifica esse sentimento.

A fim de se livrar do medo de que a criança tenha medo, os pais precisam lembrar que a experiência de ansiedade não é em si prejudicial. Os que temem que os filhos sintam medo, porém, acreditam que a ansiedade é traumática e deixa cicatrizes profundas na psique infantil. Entretanto, a grande maioria das ansiedades infantis, mesmo que a experiência subjetiva seja séria, é inofensiva. Já a evitação configura-se extremamente prejudicial, pois prejudica seu comportamento e desenvolvimento.

2. Lebowitz, E.; Omer, H. *Treating childhood and adolescent anxiety: a guide for caregivers.* Nova Jersey: Wiley, 2013.

Também é importante saber que a ansiedade diminui após um tempo relativamente curto, graças a mecanismos fisiológicos simples. Nela estão implicados o sistema hormonal (secreção de adrenalina e noradrenalina), o aumento da atividade cardiovascular (da frequência respiratória, da frequência cardíaca e da pressão arterial) e o aumento da tensão muscular. O objetivo dessas reações é preparar o organismo para a resposta de luta ou fuga. Porém, na ausência de um perigo real, o corpo gera processos que se opõem ao excesso de hormônios, de atividade cardiovascular e de tensão muscular. Portanto, a ansiedade é um mecanismo que se neutraliza naturalmente.

Quando as crianças são expostas ao estímulo indutor de ansiedade e permanecem nessa situação, descobrem que, após o aumento inicial, a ansiedade diminui. As que fazem terapia cognitivo-comportamental relatam: "Achei que a minha ansiedade fosse aumentar até eu morrer ou enlouquecer, mas descobri que ela diminui!" Experiências desse tipo são fundamentais para o desenvolvimento da resiliência, mas às vezes as crianças não estão dispostas a passar por elas. Nesse caso, uma mudança na abordagem dos pais pode transformar a perspectiva dos filhos.

Pais que recebem orientações adequadas podem diminuir a ansiedade dos filhos, mesmo que estes recusem terminantemente qualquer ajuda para resolver o problema. Não se trata de um fenômeno raro: cerca de 50% das crianças com transtornos de ansiedade recusam tratamento. Em nossos estudos, instruímos os pais a passar da proteção ao apoio: eles expuseram gradualmente os filhos a estímulos assustadores. Após dez semanas de tratamento, o nível de ansiedade das crianças caiu de modo significativo. O progresso foi idêntico ao daquelas que aceitavam ser tratadas. Para nossa surpresa, depois que os pais passaram pelo processo de orientação, a grande maioria das crianças mudou de ideia e se mostrou disposta a receber ajuda terapêutica. Quando perguntamos o porquê da mudança, a maioria disse: "Antes eu achava que ia morrer se tivesse de passar por uma situação assustadora. Agora aprendi que consigo sobreviver. Então, se eu fizer terapia, acho que o meu medo vai diminuir ainda mais!"

## Mantenha o que funciona

A grande tentação dos pais diante da angústia dos filhos é diminuir as exigências a fim de reduzir o sofrimento deles. Por exemplo, os pais abrem mão da expectativa de que os filhos durmam na própria cama se têm pavor noturno; vão a todo canto com eles se ficam ansiosos com a separação; retardam ou suspendem a matrícula na creche se ficam aflitos; permitem que não vão à escola se têm medo, e adaptam as regras da casa por causa de transtornos de ansiedade. Essas ocorrências podem se prolongar pela infância e adolescência adentro e até na vida adulta. Como não conseguem enfrentar a aflição dos filhos, os pais às vezes lhes dão um "refúgio degenerativo" – ambiente protetor que reduz enormemente as chances de um comportamento normal.

*Um rapaz de 19 anos tinha muito medo de trovões. Por angústia, pressionou os pais a tornar seu quarto à prova de som. Por fim, eles concordaram. Toda vez que uma tempestade ameaçava irromper, ele se isolava no quarto e até aumentava o silêncio usando fones de ouvido à prova de som. Contudo, isso não o fez melhorar; ao contrário. Ele passou a temer qualquer situação em que houvesse uma chance mínima não só de tempestade, mas também de chuva. Aos poucos, seus medos se tornaram tão graves que ele passava a maior parte do tempo no quarto. Com o tempo, pressionou os pais e os avós a instalar um sofisticado sistema de monitoramento na casa. Aos poucos, o abrigo que os pais construíram para ele tornou-se um refúgio degenerativo, o que o levou a uma depressão profunda.*

Esse caso extremo ilustra um processo comum nos dias de hoje: a alienação de jovens adultos em relação ao mundo exterior e sua reclusão têm se tornado cada vez mais frequentes nas últimas décadas. No Japão, é uma verdadeira epidemia. O fenômeno é chamado de *hikikomori*. Estima-se que existam mais de um milhão de jovens (a doença afeta sobretudo os homens) nesse país vivendo em completa reclusão do mundo exterior. Em nossa pesquisa, documentamos fenômenos semelhantes no Ocidente e propusemos tratá-los.

As consequências negativas do refúgio degenerativo proporcionado pelos pais também são evidentes quando o problema não atinge as dimensões do *hikikomori*. Inúmeros jovens renunciam à escola, ao emprego e até mesmo às amizades por fobia social, medo do fracasso e ansiedade de desempenho. Sem querer, os pais apoiam esses processos quando dão aos filhos um refúgio degenerativo, atendendo a todas as demandas de apoio, privacidade ilimitada e acesso à internet. Aparentemente, as telas agravam a tendência a se isolar. Podemos afirmar que, se não fosse a existência da realidade virtual, a frequência do fenômeno seria incomensuravelmente menor. Na verdade, esses jovens trocam o mundo real pelo virtual, muito mais fácil de gerenciar.

A fim de manter as situações que funcionam, os pais precisam ter um conceito claro de dever. Nada simboliza melhor a deterioração e a falta de rumo parentais que o conceito desatualizado de dever. Para muitos, a palavra assumiu um tom estridente, irritante e arcaico. O ideal é que os pequenos ajam não por um senso de dever, mas apenas por compreensão e consentimento. De acordo com essa ideia, quando a criança se recusa a atender a uma demanda legítima, as únicas soluções são o diálogo e a persuasão. De fato, ambos são processos fundamentais na criação dos filhos. Mas o que fazer quando eles não se convencem? Ou quando se recusam a dialogar? Ou quando encompridam a discussão?

A crença de que o diálogo e a persuasão são as únicas bases legítimas para motivar as crianças leva os pais ao desamparo total. Às vezes, eles veem na terapia uma espécie de processo alongado de diálogo e persuasão, esperando que ao final do processo o filho seja de fato convencido. A verdade, porém, é que nenhuma sociedade humana jamais conseguiu sobreviver sem deveres claros, que se aplicam mesmo àqueles que não concordam com eles. Em nossa sociedade, em que se dá grande valor ao diálogo, há situações em que se deve substituí-lo pelo dever. Aliás, a confiança absoluta no diálogo pode criar processos intermináveis. Todos conhecemos crianças que enrolam os mais velhos em discussões sem fim. Elas têm uma consciência muito clara de que, enquanto a discussão continuar, a ação será postergada. Os pais veem a capacidade de argumentação do filho com uma mistura de exasperação e admiração. Quase todos se sentem orgulhosos ao descrever crianças desse tipo. Na verdade, a admiração é merecida, mas a exasperação é prejudicial. Os pais devem ser capazes de interromper a discussão, mesmo que não haja consentimento. O limite em que toda discussão termina é o dever – mesmo que a criança se recuse a aceitá-lo. Nesses casos, os pais têm de se tornar representantes do dever. A mensagem que encerra a discussão é: "Este é o nosso dever". Quando isso acontece, o foco passa das palavras à ação. Fica claro que a partir de então os pais agirão de acordo com seu dever, independentemente do consentimento da criança. Outra mensagem intrínseca é: "Aqui estamos. Nós não temos escolha".

O dever dos pais é a garantia de que eles tomarão medidas decisivas para o bom desenvolvimento da criança. É o sustentáculo da alavanca parental que lhe permitirá superar os próprios medos. A confiança em seu dever leva os pais a interromper situações problemáticas, como recusar-se a dormir na própria cama, rejeitar outros adultos, ter medo da escola e muito mais. Os pais explicam a mudança com uma frase simples: "Esse é o nosso dever". Mas o trabalho não termina aí. Eles precisam agir para estabelecer um limite amoroso e pessoal para o comportamento problemático da criança. Porém, é fundamental que não sintam que estão sendo cruéis. Isso não os torna "maus pais" – ao contrário. O fato de se manterem firmes dá à criança a âncora que vai ajudá-la a superar a ansiedade a que está sucumbindo.

*Moisés (9) era o caçula de uma família judia ortodoxa. Primeiro menino da família, tinha sete irmãs. Os pais, Jacó e Léa, e as sete meninas tratavam-no com luvas de pelica. Moisés era superexigente e tinha aguda sensibilidade sensorial, manifestando impaciência se uma torrada estivesse um pouco queimada ou se aparecesse um rasguinho numa meia. Por angústia de separação, forçava a mãe ou uma das irmãs a ficar com ele o tempo todo. Quando a mãe não podia, uma das irmãs era obrigada a faltar à escola ou perder um dia de trabalho para cuidar dele. Moisés começou a perder muitas aulas. Acontecia toda vez que acordava com uma sensação física ruim, depois de uma interação desagradável com um professor ou quando tinha um pesadelo. Nesses dias, toda a família se organizava para lhe dar acompanhamento constante. Ninguém ousava reclamar da servidão. Depois que o menino perdeu um mês inteiro de aula, os pais nos procuraram. Após uma reunião com eles e um segundo encontro com suas irmãs e cunhados, o terapeuta disse: "Não acho que Moisés sofra de transtornos mentais. O maior problema é que ele tem o* status *de um príncipe e está acima de todos os deveres, tanto para consigo quanto para com os outros. Todos se curvam a ele. Enquanto isso continuar, ele não será capaz de crescer. Ele ainda está longe de aceitar os próprios deveres. Para que isso aconteça, primeiro ele precisa sentir que os outros têm deveres inflexíveis". Houve murmúrios de protesto contra a situação nababesca de Moisés. Na prática, estabeleceu-se uma "rotação de deveres", que se referia não ao dever de cuidar do garoto, mas ao dever dos cuidadores para com eles mesmos. Quando a estratégia foi implantada, quem estivesse cuidando de Moisés receberia um "telefonema de serviço", ou seja, um chamado que exigisse seu retorno imediato à escola ou ao trabalho. Os cunhados aceitaram alegremente o papel de "telefonadores", pois estavam fartos de ver as esposas sujeitas aos caprichos do "príncipe". Quando o telefone tocasse, Moisés poderia decidir se queria ficar em casa ou ir com seu responsável para a escola ou o trabalho. Não era muito confortável passar o dia nesses lugares. Na escola das irmãs mais novas, ele tinha de ficar com o porteiro, que não reconhecia seus direitos principescos. No trabalho das irmãs e da mãe, precisava ficar em outra sala para não atrapalhar. Em poucos dias, retornou à escola. A terapia durou mais algumas semanas, para garantir que ele não voltasse ao comportamento anterior. Ao longo dos anos, a família voltou à terapia algumas vezes, a fim de reafirmar funções que haviam desandado. Quando tinha 14 anos, Moisés mudou-se sem dificuldades para uma* yeshivá, *comunidade religiosa na qual residia durante a semana para estudar.*

**Saindo do isolamento**

Os pais perguntam por que precisam de apoio externo para ajudar os filhos a lidar com a ansiedade. Como explicamos no Capítulo 3, a eficiência dos pais aumenta sobremaneira quando eles têm uma rede de apoio. A criança ansiosa e os pais estão tão acostumados com a conduta um do outro diante da ansiedade que sempre agem da mesma maneira, como uma máquina bem lubrificada. A criança sabe exatamente quais são os pontos sensíveis dos pais, e estes reagem quase automaticamente aos seus pedidos de ajuda. Nessas circunstâncias, a entrada de apoiadores externos ventila o sistema, promovendo um espaço de movimentação que não existia antes. Além disso, a criança fica mais ansiosa, dependente e infantil na presença dos pais. Diante dos outros, porém, externa seus aspectos mais maduros e funcionais. O apoio externo também valida as expectativas de comportamento-padrão. Esses processos criam um ambiente mental e interpessoal completamente novo – como se, com a entrada dos apoiadores, o sistema de reação à ansiedade mudasse. Se antes ela tinha o ambiente ideal para prosperar, agora está num contexto que incentiva o enfrentamento.

Em nossas intervenções, percebemos que a rede de apoio modifica o enfrentamento das crianças e dos pais em situações de ansiedade. Um exemplo notável é o caso da angústia de separação. Quando parentes, amigos ou funcionários de creches recebem instruções para lidar com uma criança que apresenta esse problema, a própria criança começa a lidar melhor com ele. Crianças com TOC lidam muito melhor com as situações problemáticas quando são apoiadas por outros adultos que não os pais. Outro exemplo, ligado a um medo muito comum, é o processo que desenvolvemos para ajudar famílias em que a criança só consegue dormir na cama dos pais.

Os pais são instruídos a planejar um fim de semana prolongado, no qual passarão pelo menos duas noites fora de casa. Apoiadores próximos da criança e da família (como tias, tios ou padrinhos) fazem o papel de babá. Eles são orientados a reagir aos pedidos de socorro da criança da seguinte maneira: "Você pode me chamar a cada dez minutos. Quando isso acontecer, ficarei um pouquinho no seu quarto. Não vou tirar você da cama, apenas tranquilizá-la". A criança recebe um relógio para verificar quando pode chamar os apoiadores. Estes dizem que não aparecerão se ela os chamar antes de dez minutos, mas estarão dispostos a avisar, uma vez, do outro cômodo, quantos minutos faltam. Se a criança tentar ir para a cama dos apoiadores no meio da noite (o que é raro), eles devem levá-la para a cama dela delicadamente usando palavras de apoio. Muitas vezes a criança dorme tarde na primeira noite. No dia seguinte, todos se levantam cedo e saem para um dia repleto de atividades (piscina, brincadeiras, atividades esportivas). Na segunda noite, a criança está em situação diferente: além de cansada, já se sente mais capaz de dormir na própria cama (porque já conseguiu na noite anterior) e dorme muito mais rápido. No dia seguinte, quando os pais voltam para casa, fica claro para todos que ela consegue dormir sozinha. Resta apenas incorporar a conquista à rotina.

A rede de apoio é fundamental, por exemplo, em emergências – desastres, atentados, epidemias etc. Nessas situações, a organização de um grupo de famílias para ajudar uma à outra é um dos principais mecanismos para prevenir reações pós-traumáticas. Uma das lições do conflito entre árabes e judeus é que a tentativa de ajudar as vítimas individualmente é muito menos eficaz do que trabalhar com famílias, bairros ou escolas. O mesmo vale para regiões com alto índice de criminalidade, nas quais famílias inteiras podem ser traumatizadas. A manutenção da coesão social tem se mostrado essencial tanto para a recuperação quanto para a reabilitação dessas pessoas, além de ser uma das melhores formas de prevenção de transtornos mentais. O maior dano é causado quando, em virtude da ansiedade, a criança é retirada de seu círculo interpessoal. A última coisa que ela necessita é ser colocada em um canto isolado por um longo período.

## APOIE, NÃO PROTEJA

A transição da proteção para o apoio é fundamental para enfrentar a ansiedade. Os pais superprotegem quando tentam evitar que a criança sinta qualquer tipo ansiedade, mas apoiam quando mostram que sabem o que ela está sentindo e a impelem suave mas firmemente a agir. A seguir apresentamos alguns princípios do bom apoio.

**Mostrem à criança que vocês reconhecem seu sofrimento**

É impossível apoiar sem reconhecer que a dificuldade é real. Qualquer insinuação de que a criança finge ou manipula enfraquece a base de apoio. O sofrimento das crianças ansiosas é verdadeiro. Mesmo que ajam energicamente para angariar apoio das pessoas ao seu redor, seu sofrimento é genuíno. Dizer a uma criança "eu sei que você está sofrendo, eu sei que o seu medo é real" não diminui a vontade dela de lidar com o problema – ao contrário.

**Encoraje pequenos passos**

A superação de reações de ansiedade quase nunca acontece de uma vez. Ao contrário, é a exposição progressiva que leva a uma melhora parcial. Por isso, é importante elaborar um plano gradual de exposição, em que cada ganho, até mesmo o mais ínfimo, é reconhecido e incentivado. Um dos elementos importantes do apoio efetivo é buscar uma pequena conquista e enfocá-la positivamente. Crianças ansiosas e seus pais estão acostumados a olhar para a metade vazia do copo, ou seja, para o comportamento que mostra que a criança ainda está ansiosa. Aprender a notar e ressaltar a metade cheia muda o panorama.

*Bruno (8) tinha medo de ir ao segundo andar, onde ficava seu quarto. Ele se recusava a ficar lá sozinho, mesmo que seu pai, Jonas, falasse com ele lá debaixo. Só quando acordava conseguia ficar lá sozinho. Jonas lhe disse: "De manhã você consegue dominar o seu medo. Você fica lá em cima por alguns minutos até terminar de escovar os dentes e se vestir. Como consegue?" Bruno respondeu com seu típico bom humor: "Parece que de manhã o medo ainda não acordou!" Essa resposta deu oportunidade para uma nova estratégia: "Então é melhor pegar o medo de surpresa antes que ele acorde!" Juntos, Jonas e Bruno planejaram uma ofensiva surpresa contra o medo. Jonas ficava na base da escada, Bruno subia alguns degraus, esperava "o medo se recuperar da surpresa" e depois descia. Jonas contava com Bruno o número de degraus que ele subira e o tempo que o medo levara para se recuperar da ofensiva surpresa. Pai e filho desenharam um gráfico com dois eixos, o número de degraus e o número de segundos, para acompanhar o progresso. Bruno, que era muito competitivo, reagiu bem ao jogo e fez progressos em ambos os eixos. Em poucos dias chegou ao degrau mais alto e conseguiu ficar lá por dois minutos. O avô de Bruno lhe enviou um diploma que marcava a primeira vitória do menino contra seus medos: ficar no segundo andar por dois minutos inteiros!*

**Pressione com sensibilidade**

Enquanto os pais continuarem fazendo pelo filho coisas que pode fazer sozinho, ele continuará dependente. Algumas regras simples podem ajudá-los a evitar erros comuns nesse processo. A primeira é se concentrar neles mesmos, não no filho. Afirmações como "você pode fazer isso sozinho!" podem gerar resistência e até mesmo lançar um desafio negativo – ou seja, fazê-lo provar que não é capaz. Já a simples afirmação dos pais de que não vão ajudá-lo em determinada situação, porque não lhes parece conveniente, desencadeia menos resistência. A criança será capaz de chegar à conclusão de que é capaz. Se for o caso, um apoiador pode ajudá-la a desenvolver a capacidade necessária para realizar a tarefa.

*Júlio (10) sofria de fobia social, o que o impedia de conversar com pessoas de fora da família. Ele gostava muito de ler, e sua mãe, Débora, o levava à biblioteca uma vez por semana. Júlio escolhia os livros, mas Débora ficava encarregada de falar com a bibliotecária. Júlio permanecia calado ao seu lado. Ao perceber que sua atitude não estava ajudando o filho – ao contrário –, ela lhe disse: "De agora em diante não vou mais falar com a bibliotecária. Posso levá-lo à biblioteca, mas vou me sentar a uma das mesas e trabalhar no meu* laptop*". Júlio fez cara feia, mas quando terminou de ler os livros que tinha em casa pediu para ir à biblioteca. Débora o levou no horário de costume. Enquanto Júlio vasculhava as prateleiras, ela se sentou e abriu o computador sem dizer nada. O menino demorou para escolher os livros. Quando enfim terminou, foi até Débora e calmamente lhe pediu para voltar ao velho* *padrão. Ela sorriu, olhou para os livros e elogiou as escolhas, mas também o empurrou delicadamente na direção da bibliotecária. Júlio hesitou por um breve momento, mas finalmente completou o processo de retirada dos livros.*

Uma maneira de informar uma criança ansiosa sobre o fim da ajuda é fazer um anúncio, como descrevemos no Capítulo 5. A seguir, um exemplo de um anúncio dado verbalmente e por escrito a uma garota com terror noturno e angústia de separação.

*Mara, sabemos que você sofre muito toda vez que precisa ficar em casa quando não estamos ou quando é hora de ir para a cama. Sabemos que tais momentos são difíceis para você e como esses medos dificultam sua vida. Contudo, percebemos que o que fizemos até agora, sempre ficando com você e deixando você dormir na nossa cama, não só não ajudou como piorou as coisas. Então decidimos que vamos parar de ignorar o problema e não vamos nos render aos seus medos. Faremos o seguinte: vamos sair, primeiro por curtos períodos e depois por períodos mais longos; não vamos mais deixar você dormir na nossa cama. Também decidimos que não vamos manter o problema em segredo, mas contar a qualquer um que possa nos ajudar. Ficaremos felizes em lhe dar todo o apoio para lidar com seus medos, inclusive terapia, se você quiser. Mas nosso apoio não será mais nos render aos seus temores.*

*Com amor, seus pais.*

**Esteja disposto a negociar os detalhes do plano**

Um fator importante no apoio sólido é que um progresso lento com a cooperação da criança é melhor do que um progresso rápido sem cooperação. Depois de informarem à criança que deixarão de fazer determinadas coisas, os pais conversam sobre o tipo de ajuda que a criança pode receber, por exemplo, da família extensa ou de um profissional. De fato, a terapia auxilia as crianças a superar as ansiedades, mas os pais não devem renunciar à sua decisão em troca de a criança aceitar a terapia. Esse tipo de acordo condena o tratamento psicológico ao fracasso. Em alguns casos é aconselhável convidar um apoiador para gerenciar a negociação sobre o ritmo e o curso da mudança. Em geral, as crianças negociam de modo mais maduro com os apoiadores do que com os pais.

*Jonas (17) desenvolveu uma profunda dependência do pai, Leandro, após um acidente de carro em família ocorrido quando ele tinha 12 anos. Mesmo tendo se recuperado fisicamente, sofria demais quando o pai precisava viajar a trabalho e fazia chantagem emocional com ele. Depois do acidente, Leandro reduziu drasticamente as viagens e o casal nunca mais saiu sozinho. Aos poucos, porém, concluíram que aquilo prejudicava a todos. Assim, informaram a Jonas que voltariam a viver como adultos normais e que Leandro voltaria a viajar a trabalho. O menino ficou com raiva, gritou que não ia tolerar aquilo, acusou-os de serem injustos e saiu de casa batendo a porta. Seus pais estavam familiarizados com suas reações emocionais e sabiam que elas se originavam de uma ansiedade profunda. Mas também estavam cientes de que a continuidade da situação só perpetuaria o problema. Uma semana após o desabafo, Leandro deu a Jonas uma agenda com as viagens marcadas para o ano seguinte. Jonas ficou chateado de novo, mas dessa vez o avô materno, que era uma figura importante em sua vida, entrou em cena. Disse-lhe que, enquanto Leandro estivesse fora, ele o ajudaria a lidar com suas dificuldades. Também propôs que ambos planejassem uma forma de Jonas contatar o pai durante as viagens, para que alguma proximidade fosse mantida. Jonas recusou, mas quando a primeira viagem se aproximou o avô repetiu a oferta. Dessa vez, Jonas concordou. Leandro realizou todas as viagens planejadas. As ligações para Jonas foram curtas e secas, em parte porque o menino queria mostrar ao pai que estava bravo com ele. Contudo, Leandro sabia que o contato com o avô era contínuo e positivo. Na segunda viagem, tudo melhorou. Em poucos meses, ficou claro que a relação havia mudado e que o garoto agora conseguia gerenciar os próprios medos.*

**DICAS**

- Perguntem a si mesmos se são pais superprotetores, que prejudicam a capacidade de desenvolvimento da criança.
- Perguntem-se se adotam posições superexigentes, que, em vez de incentivar a criança, apenas a enfraquecem.
- Pergunte a si mesmos se vivem um cabo de guerra conjugal: quando um se torna superexigente, o outro se torna protetor – e vice-versa.
- Avaliem as benesses desnecessárias que vocês dão ao seu filho e o mantêm dependente. Eliminem-nas gradualmente, mas com firmeza.
- Perguntem-se: "Oferecemos ao nosso filho um refúgio degenerativo?"
- Perguntem-se: "Estamos fazendo segredo dos problemas e, assim, criando o ambiente propício para que eles aumentem?"
- Esclareçam sua posição dizendo "vamos fazer isso", em vez de "você tem de fazer isso!"
- Transmitam ao filho a mensagem de que vocês conseguem suportar a ansiedade dele sem ficar com medo ou raiva.
- Ajam para recuperar os aspectos do funcionamento normal que se enfraqueceram.
- Lembrem-se: é melhor o progresso lento com a cooperação do filho do que tentar obter um progresso rápido sem cooperação.
- Tentem identificar e interromper qualquer discussão inútil. O ponto final é a afirmação: "Este é o nosso dever".
- Criem condições de exposição gradual a situações assustadoras.
- Chamem apoiadores para ajudar o seu filho a aumentar sua capacidade de suportar situações difíceis.
- Reconheçam cada passo adiante, até o menor. Mostrem ao seu filho que vocês percebem e valorizam tais passos.
- Lembrem-se: a posição firme dos pais é a âncora da criança.

# 7. A escola

Os pais têm dois modos de abdicar de sua responsabilidade quando os filhos entram na escola: o conflito e a indiferença. O primeiro é típico de pais que entram em conflito com professores ou com a criança em questões escolares. O segundo caracteriza aqueles que veem tudo que se relaciona com a educação como território desconhecido. Ambas as posturas prejudicam o cuidado e a presença dos pais, bem como as perspectivas da criança como estudante. Por outro lado, aqueles que mantém um olho na conduta da criança como aluno e cooperam com os professores fortalecem seu *status* e ajudam os filhos a desenvolver-se.

## CONFRONTOS ENTRE PAIS E PROFESSORES: UM DOS FLAGELOS DA NOSSA ERA

O envolvimento positivo dos pais e a cooperação com os professores têm sido primordiais para o sucesso na escola, a superação de crises e a prevenção da evasão escolar. Por outro lado, quando o envolvimento se torna beligerante e assume a forma de controle hostil, as condições para a cooperação desaparecem. Essa situação é perigosa para o professor, os pais e a criança.

Defender os filhos é um instinto básico. A maioria dos pais se rebela quando sente que eles foram injustiçados, desfavorecidos, negligenciados ou agredidos. E se torna ainda mais disposta a lutar contra as injustiças se o professor sugere que eles são os culpados pelos problemas da criança. Aqui o desejo de defendê-la se combina com o desejo de defender a si mesmos.

No entanto, essa tendência básica não explica por que, nas últimas décadas, a postura dos pais diante dos professores se tornou beligerante.

Antigamente, mesmo que a criança errasse ou fosse punida, não havia tanto alvoroço como agora. Algo básico mudou na atitude da nossa sociedade em relação aos educadores. Atacar professores virou moda. Essa situação obviamente prejudica sua atuação, mas pode ser ainda mais prejudicial para as crianças e para os pais.

Embora as críticas aos professores às vezes sejam justificadas, acusações, ameaças e tentativas de demitir determinado educador quase sempre saem pela culatra. Porém, antes de abordarmos alternativas, vejamos os graves danos causados pelo confronto entre pais e professores.

O confronto prejudica seriamente a comunicação entre eles. O professor atacado pensará corretamente que os pais não farão uso positivo das informações que lhes dá sobre o filho. Ao contrário, terá medo de que as usem como prova de que ele não cumpriu suas obrigações. Nessas circunstâncias, prefere ficar quieto a expor o problema, o que reduz consideravelmente a capacidade dos pais de exercer o cuidado vigilante. O professor atacado não hesitará em contar aos colegas a má experiência com os pais, o que erguerá um muro de silêncio em torno das atitudes da criança na escola. Isso prejudica sobremaneira o *status* dos pais, pois eles perdem a capacidade de avaliar o comportamento do filho. Por exemplo, ninguém os informará quando a criança não levar o material escolar, chegar atrasada ou se envolver em brigas. Eles só descobrirão a gravidade da situação quando ela se tornar insustentável. Essa revelação tardia é quase sempre recebida com um questionamento raivoso dos pais: "Por que você não me contou?" Eles se esquecem de que contribuíram para a situação atacando o professor no passado.

O dano inevitável à vigilância parental após confrontos com os professores agrava os problemas da criança. O cuidado vigilante é essencial para prevenir processos nocivos, como más companhias, tentações destrutivas e evasão escolar. Confrontos entre pais e professores aumentam os riscos. A hostilidade posterior ao confronto também agrava os problemas de comportamento do filho. A razão é simples: ele entende que não tem nada a temer, já que não existe comunicação entre os pais e os professores.

Isso também prejudica a atitude do professor em relação à criança. Os professores são humanos. Quando atacados pelos pais, a indignação que sentem é, em certa medida, projetada na criança. Muitos conseguem manter um tratamento justo e imparcial, mas nem todos têm essa capacidade.

Quando os pais procuram o diretor da escola para reclamar de um professor, as consequências negativas costumam superar o suposto ganho. Às vezes, eles se sentem vingados momentaneamente quando o diretor chama o professor para lhe dar uma bronca, repreendê-lo ou anular suas decisões (em relação a notas, medidas disciplinares etc.). Porém, subjugar o professor não resolve o problema; apenas o piora. Agora a criança é rotulada como filha de pais agressivos. Outros educadores podem concordar com essa avaliação. Tudo piora quando o diretor se junta aos pais contra o professor. A criança sente-se protegida e, em consequência, acha que está livre para fazer o que quiser. Não há nada mais eficaz para a deterioração do comportamento do que a sensação de impunidade.

As consequências destrutivas do confronto entre pais e professores tornam essas situações um verdadeiro desastre educacional. Muitos pais sentem não ter escolha, mas na verdade eles têm: podem agir para que a situação de seus filhos e seu *status* parental melhorem consideravelmente.

### PAIS E PROFESSORES: A ALIANÇA NECESSÁRIA

A partir do momento em que a criança entra no sistema educacional, uma mudança revolucionária ocorre no *status* de pais e filhos. Os pais não têm mais responsabilidade exclusiva pela educação da criança e ganham parceiros: pais e professores estão no mesmo barco, mas a nau só seguirá em frente se eles remarem na mesma direção.

Um apelo sincero e respeitoso à cooperação tende a ser "contagioso" e leva a uma reação positiva do outro lado. Para facilitar esse processo, desenvolvemos uma série de princípios para a "diplomacia pais-professores". Alguns pais desdenham do assunto, mas na verdade a diplomacia é necessária sempre que haja um interesse mútuo, bem como áreas de conflito potencial. Ela é determinante para superar a indiferença, o distanciamento e as crises. Vejamos a seguir os princípios básicos da diplomacia pais-professores.

### "Estamos no mesmo barco"

Um dos principais obstáculos à cooperação entre pais e professores é o antagonismo. Em muitos casos, quando eles se encontram para tratar de um comportamento problemático do filho, há um sentimento de crítica no ar. Até mesmo perguntas aparentemente inocentes ou comentários do tipo "por que você não nos contou antes?" ou "nunca temos esses problemas em casa" podem colocar o professor na defensiva, como se sua capacidade estivesse sendo questionada. Se o professor piora as coisas dizendo "escrevi duas vezes na agenda, mas nunca recebi resposta", as partes entram em confronto direto. Portanto, é sempre bom expor os interesses comuns no início da conversa, com afirmações como: "Se agirmos em parceria, tenho certeza de que faremos progresso". Ou: "Não tenho dúvida de que você está tentando ajudar meu filho, mesmo que nem sempre seja fácil". Quando os pais conseguem iniciar a conversa dando crédito ao professor por sua boa vontade e oferecendo-se para cooperar, ele geralmente responde na mesma linha. Às vezes, os pais nos perguntam por que é função deles e não do professor abrir esse diálogo. Nossa resposta é clara: é do interesse de ambos. Mais tarde, na conversa, é prudente reiterar pontos de interesse comum, como: "Seria ótimo se às vezes você me relatasse coisas positivas ocorridas em classe. Aí eu poderia contar à minha filha e ela entenderia que você repara nela e que estamos em contato constante. Vai ajudar a todos nós". Tais afirmações são como graxa para o mecanismo da relação pais e professores. Elas facilitam a cooperação e evitam problemas.

### Respeite as necessidades do professor

Uma das fontes de conflito entre pais e professores é que, para os pais, o filho está sempre no centro, enquanto o professor deve cuidar de uma classe inteira. Muitas vezes, os pais pedem aos professores que deem tratamento especial ao seu filho, o que pode dificultar as coisas em relação aos outros estudantes. Crianças com necessidades especiais precisam de tratamento diferenciado, mas sem que isso prejudique o professor diante do resto da turma. No caso do TDAH, por exemplo, é preciso levar em conta tanto as dificuldades da criança quanto as necessidades da classe. Esse é o trabalho do professor, mas nem sempre é fácil. Se os pais ignorarem isso e focarem apenas os deveres do profissional, não nas suas dificuldades, o diálogo será prejudicado. Para evitar tal situação, os pais devem mostrar que reconhecem as limitações do professor, dizendo: "É importante encontrar uma maneira de ajudar meu filho a se comportar melhor, apesar das suas dificuldades e sem que isso prejudique toda a classe". Com base nesse interesse comum, abre-se caminho para que o educador tenha uma atitude construtiva em relação às necessidades especiais da criança.

### Mostre envolvimento o mais cedo possível

O contato inicial dos pais com o professor no início do ano letivo pode ter impacto significativo na cooperação subsequente. A primeira reunião de pais e mestres é uma grande oportunidade para iniciar o diálogo com o pé direito. Ali os pais podem mostrar vontade de ajudar se e quando surgir um problema. Uma boa maneira de fazer isso é mencionar a importância de compartilhar informações: "Eu agradeceria se você me contasse o que está acontecendo, seja bom ou ruim. Vai me ajudar!" Os pais devem se preparar para o primeiro encontro com o professor perguntando ao filho sobre as experiências do início do ano letivo. Eles também podem analisar o material das diferentes disciplinas e perguntar à criança sobre as primeiras atividades realizadas em sala de aula. Até mesmo pequenas coisas podem abrir caminho para relações positivas com o professor. Por exemplo: "Fiquei sabendo que você está ensinando frações decimais. Acho que meu filho está começando a aprender!" Ou: "Minha filha chegou em casa feliz na primeira semana. Tenho ótimas impressões sobre a atmosfera na sala de aula!" Ao compartilhar suas primeiras impressões com o professor, os pais mostram que estão interessados e envolvidos. Isso aumenta as chances de que o educador siga a mesma abordagem.

## Seja sincero sobre os problemas da criança

Uma das armadilhas que mais prejudicam a cooperação é a tendência a negar ou subestimar os problemas da criança. Os pais fazem isso para protegê-la, evitar rotulá-la ou evitar ser chamados pelo conselho escolar. No entanto, quando agem assim, a mensagem implícita é: "O problema não é do meu filho, mas seu!" Seria difícil pensar em uma mensagem mais problemática para a relação pais-professor. É completamente diferente quando os pais dizem: "Estamos bem cientes das dificuldades do nosso filho. Faremos todo o possível para ajudar". Essa posição promove o diálogo construtivo. Quando os pais estão dispostos a falar abertamente e oferecer ajuda para encontrar uma solução comum, os professores mostram mais paciência e tolerância com a criança. A sinceridade parental abre as portas para a construção de uma estratégia conjunta.

## Procure resolver problemas de comunicação

Como vimos, o conflito ou a falta de entrosamento entre pais e professores tem sérias implicações para todos. Quando estamos com raiva, tendemos a acreditar que a reparação compete ao outro lado. O problema é que o outro lado pensa da mesma forma. A rixa permanece e os danos se acumulam. Uma maneira de superar as dificuldades é contar com a ajuda de alguém do corpo docente ou da administração, como diretores ou orientadores. Porém, os pais devem abordá-los com a intenção de resolver a rixa, e não a fim de acertar as contas com o professor. Quando os pais sugerem a mediação, em geral o educador mostra não só vontade de melhorar como de se desculpar por sua parte no problema. Devemos lembrar que, em muitos casos, os pais também disseram palavras duras no calor do conflito. Portanto, um ato de boa vontade de sua parte é bem-vindo. Num passado distante, os pais entregavam aos professores um presente simbólico no início do ano letivo ou para aliviar a tensão: uma linda maçã. Inúmeros desenhos animados antigos mostram o mestre olhando encantado para a fruta que acaba de receber. Talvez precisemos de algo para preencher o lugar da maçã.

## Uma pequena melhora na aliança com o professor pode ser muito benéfica

Há diferentes níveis possíveis de cooperação com professores. Algumas duplas de pais e educadores chegam à cooperação total. Em muitos casos, ela será apenas parcial, mas mesmo que limitada é incomensuravelmente melhor do que a falta de entrosamento e o conflito. Podemos pensar em níveis de cooperação, do pior para o melhor. Acreditamos que é sempre possível elevá-los em pelo menos um ponto. Até mesmo uma melhora modesta pode ter consequências significativas, pois tende a se difundir entre os outros professores e causar um efeito cumulativo. Sugerimos que os pais avaliem sua relação com professores e outros funcionários (orientador, diretor, vice-diretor) usando a seguinte escala:

- (-2) raiva e acusações mútuas
- (-1) falta de contato
- (0) relações formais
- (+1) disposição para se comunicar com o outro
- (+2) vontade de ajudar
- (+3) cooperação total

*Vivian fora professora de Rafael no sexto e no sétimo ano. Conhecia seus problemas de aprendizagem e atenção, mas também sabia exigir e acompanhar seu comportamento. A combinação de supervisão e apoio permitiu que Rafael se saísse bem, apesar das dificuldades. Porém, no oitavo ano, chegaram novos professores que não o conheciam. Rafael, que era introvertido, começou a se desligar na aula. Suas notas caíram e ele passou a se isolar. Mas, como ele era reservado, ninguém percebeu. A combinação de uma nova equipe com um aluno particularmente tranquilo tornou Rafael invisível. Somente alguns meses depois os pais perceberam que ele estava em apuros. O menino ficou de recuperação em várias disciplinas, deixou de socializar com os colegas de classe e abandonou o time de basquete. Também começou a ter problemas emocionais e temia-se que ele afundasse em depressão. Angustiada, a mãe do garoto, Maíra, ligou para Vivian e contou-lhe o que estava acontecendo. Vivian disse: "Rafael é o tipo de criança que, quando não é vista, sente como se não existisse!" Ela então conversou com Dora, a nova professora. Ambas combinaram que Vivian daria aulas de reforço a Rafael e que Dora falaria com os professores especialistas, que mostraram vontade de dar atenção tanto às dificuldades de Rafael quanto às suas conquistas. O retorno de Vivian à cena rapidamente melhorou o moral de Rafael. O fato de alguns professores começarem a prestar atenção nele, mesmo que de passagem, amenizou seu sentimento de insignificância. Um mês depois do início da intervenção, não havia mais sinais de depressão, Rafael saiu da reclusão e melhorou na escola. A situação da mãe também ficou mais confortável: Maíra sentiu que tinha parceiros a quem recorrer.*

## CUIDADO E APOIO VIGILANTES

O cuidado vigilante é uma posição flexível: o nível de envolvimento deve ser adequado ao desempenho acadêmico e à situação emocional do filho. Quando ele vai bem na escola e não há sinais de perigo, os pais devem mostrar interesse e ficar de olho, mas a uma distância que lhe permita estudar e se ajustar autonomamente. Quando as crianças têm dificuldades, devem ser apoiadas. Quando se metem em problemas, os pais precisam verificar de perto o que está acontecendo. Em caso de perigo, eles devem tomar medidas para protegê-las e tirá-las do problema. Esses cuidados vão da pré-escola ao fim do ensino médio.

### O que eu preciso saber?

Os pais que demonstram interesse conseguem rapidamente compreender a situação acadêmica e comportamental dos filhos, bem como seu estado de espírito em relação à escola. Mesmo que os filhos não sejam mais crianças, é fundamental que os pais conheçam essas áreas de sua vida para detectar problemas com antecedência e intervir a tempo.

Para reforçar o cuidado vigilante quando aparecem sinais de problema, os pais devem verificar a lição de casa regularmente, estreitar o contato com os professores, informar-se sobre o material escolar, datas de provas, atrasos, faltas ou outros problemas disciplinares. Esse conhecimento é fundamental para a capacidade dos pais de apoiar o filho e evitar que ele degringole. E o que fazer se acaso o filho resistir aos cuidados vigilantes? Sugerimos que lhe transmitam a seguinte mensagem: "Quando não havia problemas, nós não verificávamos nem investigávamos sua vida escolar. Mas ultimamente certas coisas nos deixaram preocupados [dar exemplos]. São sinais de problema. É nosso dever verificar mais de perto e fazer todo o possível para manter você seguro". A maioria das crianças aceita essa posição, mesmo que reclame. Muitas protestam até mesmo quando, no fundo do coração, compreendem a posição dos pais.

**Como apoiar em vez de superproteger?**

Quando a criança tem problemas funcionais, o desafio dos pais é apoiar em vez de superproteger. Os pais que apoiam o filho ajudam-no a ser um aluno melhor, enquanto os superprotetores tiram-lhe a responsabilidade como estudante. Eis alguns exemplos de proteção em relação à escola:

- Os pais fazem o dever de casa pela criança.
- Dão desculpas para a agressividade do filho ou para o fato de ele não fazer a lição de casa.
- Organizam sua mochila.
- Deixam que fique em casa quando tem dificuldade de ir à escola.

E aqui estão exemplos de apoio em vez de proteção:

- Os pais se sentam com a criança e ajudam-na a terminar as tarefas difíceis, mas insistem que tente fazê-las conta própria.
- Dizem à criança que vão ajudá-la a lidar com as dificuldades, mas não vão dar desculpas para as falhas.
- Ajudam-na a explicar suas dificuldades ao professor, mas insistem em que participe do processo e a informação seja confiável.

- Mostram entender suas dificuldades organizacionais e a ajudam.
- Ajudam-na a procurar uma solução para suas dificuldades escolares, mas deixam claro que ela não pode faltar às aulas.

Ao superproteger as crianças, os pais transmitem a seguinte mensagem: "Não esperamos nada de você". Por vezes, sinalizam que não suportam a pressão da criança para que a protejam das exigências escolares. Na tentativa de evitar o próprio desconforto e o dos filhos, esses pais perdem a ancoragem.

### Qual é a diferença entre estreitar o cuidado vigilante e impor sanções?

Estreitar o cuidado vigilante de uma criança que se comportou de forma problemática é uma medida forte que muitas vezes tem consequências desagradáveis, mas estas são muito diferentes dos castigos normais. Em uma punição tradicional, a mensagem é: "Se você se comportar mal, será punido!" E, quando a criança é castigada, a mensagem implícita é: "Eu avisei!" Trata-se de mensagens de controle, que boa parte das crianças não suporta – sobretudo as teimosas e rebeldes. Tais crianças sentem que, para manter a honra, devem continuar a comportar-se mal, apesar da ameaça ou da punição. Assim, essa medida tem o resultado oposto ao pretendido.

Surpreendentemente, o mesmo paradoxo ocorre quando crianças teimosas ou rebeldes são recompensadas pelo bom comportamento. Sentem que, se mudarem de comportamento para obter ganhos, o adulto poderá "comprá-las", por isso devem provar que não estão à venda. Enquanto não provarem isso, o "saldo de honra" permanecerá negativo. Isso não acontece quando o adulto transmite a seguinte mensagem: "É meu dever observá-la de perto para que você não machuque nem aos outros nem a si mesma". Tal mensagem é particularmente eficaz se não contiver insinuações de controle. Não se aponta o dedo com ameaças ou culpa. Pela voz, pelos gestos e por palavras, o adulto anuncia: "É meu dever ajudá-la, mesmo que seja desagradável. Não vou desistir de você!"

Muitos pais reagem a essa sugestão dizendo: "Mas para o meu filho é exatamente um castigo!" É fato que a criança experimenta o aumento do cuidado vigilante como uma iniciativa desagradável, para dizer o mínimo. Mas o centro de controle dos pais são eles próprios, e não a criança. O aumento da presença demonstra seu compromisso com o filho, que sente isso, ainda que reclame. Os castigos tradicionais são como uma tentativa de controle remoto. A criança não se sente apoiada, não percebe o comprometimento dos pais e não sente intimidade. No caso do cuidado vigilante, acontece o oposto.

A força positiva do cuidado vigilante é particularmente visível quando pais e professores se unem. Ao estabelecer um plano para reforçar a supervisão de determinada área do comportamento do filho, eles se fortalecem, mostram que o estão acompanhando, reduzem os riscos e induzem uma melhora significativa. Ao longo do processo, a única "sanção" é que tanto os pais quanto os professores ficam de olho na criança e conversam frequentemente com ela, dando-lhe apoio e incentivo.

## Como contribuir para que as reuniões com a equipe da escola sejam proveitosas?

Não é fácil para os pais ser chamados para conversar com a equipe da escola, sobretudo quando se trata de problemas sérios de comportamento. Às vezes com razão, eles se sentem acusados e acuados e temem consequências ruins, como a ida do filho a conselho. Por vezes, também se sentem impotentes diante da expectativa de que consertem as coisas e disciplinem o filho. Muitas crianças que respondem, rechaçam ou têm explosões de raiva na escola fazem a mesma coisa em casa. Não à toa os pais se sentem frustrados com as expectativas da equipe escolar. Como exercer autoridade sobre o filho na escola se não conseguem fazê-lo em casa?

No entanto, a reunião com a equipe escolar pode ser um momento de virada, sobretudo se os pais se prepararem com antecedência e seguirem algumas etapas simples. A primeira é transmitir uma mensagem que reduza a suspeita e aumente as perspectivas de cooperação.

Por exemplo: "Antes de começarmos, gostaríamos de dizer que esta reunião é muito importante para nós. Queremos ouvir os problemas e ajudar. Esperamos sair daqui com um plano conjunto". A mensagem pode surpreender a equipe pedagógica, sobretudo se as interações anteriores com os pais foram problemáticas. E, mesmo que gere certo ceticismo, aumenta as chances de abertura e reduz as suspeitas. Às vezes, os pais têm dificuldade de transmitir uma mensagem positiva porque rechaçam a maneira como a escola lida com o problema. Mas lembrem-se: o clima de raiva pode prejudicar não só a reunião como também a criança. Portanto, é de seu interesse esforçar-se para que o encontro seja positivo.

Os pais devem avisar os filhos sobre a reunião. Mantendo um tom objetivo, podem dizer: "Fomos chamados para uma reunião na escola. Você é nosso filho e nós vamos ajudá-lo. Mas é muito importante para nós cooperar com os professores. Temos certeza de que isso também será bom para você!" Isso mostra à criança que os pais estão do seu lado, mas não significa que estejam contra o professor. Essa atitude evita que a relação se torne uma disputa de poder na qual a criança incita os pais contra os professores. É ainda pior quando os pais incitam a criança contra os educadores.

Uma reunião bem-sucedida permite que pais e professores se aprofundem em questões particularmente complexas relativas ao comportamento da criança. Para que haja foco, é preciso "priorizar": selecionar dois ou no máximo três comportamentos específicos para combater juntos. Em muitos casos, os problemas da criança são descritos em termos vagos, o que impede uma ação efetiva. Termos como "desmotivada", "baixa autoestima", "agitada" ou "dificuldades sociais" são muito gerais e não ajudam a traçar um plano prático.

Também não se deve rotular a criança psicologicamente. O ideal é que os pais sempre conduzam a conversa para direções construtivas. Por exemplo: "A questão do diagnóstico do nosso filho é importante e vamos levá-la a sério. Mas hoje gostaríamos de enfocar os comportamentos mais problemáticos e sair daqui com um plano conjunto. Isso nos ajudará a lidar melhor com as questões mais urgentes.

Será que podemos falar sobre esses comportamentos que incomodam a todos nós?"

Trata-se de um pedido muito difícil de recusar. Quando os pais demonstram o desejo de cooperar e de abordar honestamente "os comportamentos que incomodam a todos", influenciam o encontro de forma positiva. Mas o tom de voz é importante. Quanto mais respeitoso, maiores as chances de se chegar ao resultado desejado.

Para alguns professores, é difícil enfocar apenas um ou dois problemas, em parte porque sentem que a criança os desafia de várias formas. Por exemplo, depois que determinado participante sugere um problema grave de disciplina ou a forma grosseira como a criança se dirige aos colegas, outro professor pode perguntar: "E as conversas constantes?", "e os atrasos?" e assim por diante. Aqui também os pais podem ter uma atuação positiva. Por exemplo: "Só porque decidimos falar de duas questões principais não significa que precisemos deixar os outros problemas de lado. Façam o que for necessário para continuar ensinando. Mas aqui gostaríamos de bolar um programa conjunto que nos permita trabalhar em sintonia. Para isso, devemos nos concentrar nas principais dificuldades. Assim poderemos apoiá-los melhor".

Os pais muitas vezes esperam que toda a equipe trabalhe em conjunto e acompanhe a priorização dos comportamentos problemáticos. Embora tal expectativa seja compreensível, pode prejudicar o plano de ação. Em virtude das diferenças naturais entre eles, os educadores nem sempre conseguem atuar conjuntamente. Assim, recomenda-se que os pais sugiram ao professor que recrute um ou dois colegas que tenham enfrentado problemas semelhantes. Aqui também o foco seletivo fortalece o projeto ao invés de enfraquecê-lo. O desejo de uniformidade completa impede que se chegue a uma cooperação parcial mas significativa.

Após a priorização, é aconselhável propor que pais e professores se falem diariamente por telefone durante certo período. Os pais devem fazer tal sugestão mostrando que respeitam o professor e são gratos pelo tempo que ele vai lhes dispensar. Recomendamos um período de três semanas de contato diário. É importante que a comunicação seja pessoal e não ocorra apenas por meio da caderneta ou do aplicativo da escola. Vejamos um exemplo de proposta respeitosa: "Para sermos mais úteis, como você gostaria fazer esse contato nas próximas três semanas? Umas poucas palavras serão suficientes para nos atualizarmos e mostrar ao nosso filho que estamos por perto e trabalhando juntos. O que seria mais conveniente para você?" Esse é um pedido singelo e respeitoso.

É importante que a comunicação entre pais e professor inclua tópicos positivos. Por exemplo, os pais podem dizer ao professor: "O Antônio chegou em casa muito empolgado com a aula de matemática". Ou: "A Mariana adorou fazer o trabalho de ciências em grupo". Quando surgem problemas, devem dizer ao filho que conversaram com o professor, sabem o que aconteceu e vão pensar juntos numa solução adequada. Por exemplo: "Sabemos que você bateu na Carol hoje. Nós e o seu professor vamos pensar numa forma de garantir que isso não se repita".

Sugerimos que os pais tenham uma conversa com os filhos para repassar os acontecimentos da semana e depois atualizem o professor sobre o que foi debatido. É recomendável que o pai, que em geral não participa muito, tome a iniciativa. Muitas crianças ficam surpresas quando isso acontece. Um pai nos relatou: "Quando liguei para a professora, foi um verdadeiro 'trauma construtivo' para meu filho. Ele ficou surpreso!"

A melhor maneira de concluir a reunião escolar é anunciar ao filho as decisões tomadas. Os pais podem sugerir ao professor que eles façam isso juntos. Tudo fica melhor se a criança for chamada à sala para que ambos os lados digam que vão cooperar para resistir firme e coordenadamente aos comportamentos problemáticos. A seguir, dois exemplos de anúncio, um lido pelo professor na presença dos pais e outro feito pelos pais em casa.

"Nós nos reunimos aqui – eu, o coordenador e seus pais – porque decidimos não aceitar certos comportamentos que ocorreram nas últimas semanas. Resolvemos, todos juntos, resistir firmemente à sua agressividade contra os professores e às suas saídas da classe sem permissão. Seus pais e eu faremos contato diário e, se necessário, envolveremos outros membros da equipe. Nós nos preocupamos com você, então não vamos desistir de você ou deixar que faça as coisas do seu jeito."

"Nós e a equipe da escola conversamos para encontrar uma maneira de ajudá-lo a se concentrar nas aulas e levar o material correto para cada matéria. Decidimos juntos observá-lo de perto e manter contato contínuo entre nós. Temos certeza de que você pode superar suas dificuldades. Vamos fazer de tudo para ajudá-lo!"

Quando os pais se preparam para a reunião e aplicam os princípios que descrevemos, as chances de sucesso aumentam bastante. E uma reunião que a princípio parecia pesada pode abrir caminho para melhoras. Não à toa, detalhamos a nossa abordagem logo após a discussão sobre a diplomacia pais-professores. A sabedoria diplomática é precisamente a arte de prevenir possíveis colapsos e tirar o máximo das reuniões. Nossa abordagem foi criada para transformar crises em oportunidades.

### DIFICULDADE DE SE ARRUMAR PARA IR À ESCOLA

Para inúmeros pais, a preparação matinal para a escola parece uma guerra. Por vezes, eles chegam ao trabalho exaustos e irritados. Para muitas crianças, é difícil acordar cedo, se vestir, arrumar a mochila, tomar café e manter o cronograma. A pressão parental pode gerar irritabilidade, o que só piora as coisas. Já o envolvimento positivo dos pais, que se mostram dispostos a supervisionar e apoiar os filhos, é muito benéfico.

Os problemas matinais têm um significado especial. Se o dia começa com uma sensação de tranquilidade e não de caos, todos saem de casa de bom humor e com mais força para enfrentar os desafios do dia. Além disso, a preparação matinal bem-sucedida cria um modelo que pode ser usado em outras situações. Os pais aprendem que há como fazer as coisas de forma diferente e entendem os erros que cometiam. Por isso, sugerimos fazer da boa preparação matinal o primeiro objetivo das famílias em que isso é um problema. Para tanto, os preparativos devem ser divididos em subtarefas, todas elas apoiadas e supervisionadas pelos pais. Todavia, o apoio e a supervisão só funcionam se a criança também participar. Dividir as obrigações matinais em subtarefas ajuda os pais a identificar as fontes de dificuldade, definir as situações que requerem ajuda e decidir em quais diminuir o ritmo.

É aconselhável começar na noite anterior. Pode-se dizer à criança: "Decidimos ajudá-la a se preparar melhor para a escola. Sabemos que é difícil para você se lembrar de tudo e fazer tudo sozinha, especialmente de manhã, quando ainda está com sono. Então, começaremos a nos preparar na noite anterior. Vamos repassar sua agenda com você, ajudá-la a preparar a mochila, separar a roupa e fazer o seu lanche". É importante que a criança receba alguma responsabilidade a cada tarefa. Por exemplo, os pais repassam o cronograma com a criança e pedem a ela que separe livros e cadernos. Escolhem a roupa juntos e pedem à criança que a coloque na cadeira. Pegam sua lancheira e pedem que prepare o sanduíche. Os pais devem supervisionar e apoiar cada etapa, mas o protagonismo tem de ser da criança.

Se um dos pais costuma se encarregar sozinho da preparação matinal, sugerimos mudanças na delegação de responsabilidades. A adesão do pai a tarefas que antes eram responsabilidade exclusiva da mãe gera uma abertura para a mudança. Ainda que saia cedo de casa, ele pode fazer algo na noite anterior, como listar as tarefas matinais com a criança. Se isso for feito com bom humor, ela vai lembrar do pai e sentir sua presença de manhã. Essa situação dá tranquilidade à mãe. Ela pode estar sozinha com o filho, mas agora representa o casal. Às vezes, essa cooperação é possível mesmo quando os pais são divorciados. Por exemplo, o pai pode ligar à noite para a criança e repassar o plano da manhã com ela.

Durante a intervenção para mudar a rotina matinal, os pais precisam acordar meia hora mais cedo que o habitual. Isso diminui a sensação de estresse. Também recomendamos eliminar possíveis distrações, como computador, celular ou TV. É preciso informar a decisão à criança e fazer os preparativos para que esses dispositivos não sejam usados.

Quanto aos adolescentes, talvez seja preciso contar com a ajuda de apoiadores. Em vários casos que atendemos, a mudança ocorreu depois que um professor conversou com a família sobre os problemas.

**BULLYING**

Uma das maiores preocupações dos pais é que seus filhos sejam vítimas de *bullying*. É um erro comum pensar que esse problema é apenas disciplinar. Os pais reclamam com a escola, esperando que o agressor seja severamente punido e que isso resolva o assunto. Porém, os pais da criança acusada de *bullying* alegam que o problema não era tão grave e que a escola tomou medidas injustas. A verdade é que, nesses casos, a punição não funciona. Os valentões continuam intimidando os colegas, mesmo depois de advertências e suspensões. Por sua vez, a vítima se sente mais insegura, porque tem medo da vingança do agressor. Às vezes, as escolas confiam em conversas educativas com a classe, mas o problema delas é que a maioria dos agressores não se impressiona.

*Rafael (14) era ansioso e retraído. Foi transferido para uma classe especial porque deu sinais de depressão. Na nova turma, rapidamente se tornou vítima de intimidação sistemática: várias crianças competiam entre si para ver quem dava tapões "amigáveis" em suas costas sem que o professor percebesse. Rafael tinha medo de delatar quem batia nele porque temia piorar as coisas. Percebendo que o filho era vítima de* bullying, *sua mãe, Marina, conversou com o professor duas vezes, mas não conseguiu identificar os culpados. Quando conversou com Rafael, ele disse: "Não posso fazer nada. Eles esperam o professor se virar para a lousa para me bater e, um segundo depois, estão sentados na carteira como se nada tivesse acontecido".*

Rafael está nos dizendo: "Eu sou invisível!" Seu desejo de ser visto desperta empatia, mas o que fazer com os agressores, sempre ágeis e evasivos? De fato, procurar uma maneira de pegá-los em flagrante parece uma missão impossível. Mas o significado mais profundo da supervisão (tanto por pais quanto por professores) não é pegar os culpados, mas criar uma experiência de acompanhamento. A criança se sente acompanhada quando os adultos agem de forma que lhe transmita a seguinte mensagem: "Você é importante para nós. Nós prestamos atenção em você".

Nessa situação, ela deixa de se sentir abandonada à própria sorte. A experiência de supervisão e acompanhamento é fundamental, mesmo que não se consiga expor todos os detalhes do problema.

*Yves (10), um garoto alegre e tranquilo, mudou de escola e logo se tornou vítima de intimidação diária. Seu principal algoz era Dênis, que o cumprimentava pela manhã com um tapa na cabeça. Às vezes, ele chamava outras crianças para fazer o mesmo. Gabriel, o pai de Yves, notou que o filho ia à escola contra a vontade, o que nunca acontecera antes. Quando Gabriel perguntou se estava tudo bem, Yves deu uma resposta evasiva. Gabriel sentou-se com o filho para conversar e disse: "Eu sinto que algo está errado. Por favor, não diga que não é nada, porque te conheço muito bem". Dessa vez, Yves reagiu de forma diferente. Ele sentiu que o pai o "via", o que significa que olhava para ele com carinho e percebia que algo estava errado. Assim, contou ao pai sobre o* bullying, *mas implorou que não relatasse a situação ao professor, pois não queria ser visto como dedo-duro. Gabriel prometeu que faria tudo para resolver o problema sem tocar no nome de Dênis. Mas, apesar disso, resolveu criar uma experiência de supervisão. Primeiro, ligou para a mãe de Dênis e explicou que o filho lhe pedira para não revelar o nome do garoto ao professor. Pediu que ela contasse isso a ele e acrescentou que, se ambos cooperassem, conseguiriam resolver o problema da melhor maneira também para Dênis. Essa atitude incentivou a mãe a cooperar, o que não teria ocorrido se Gabriel tivesse usado um tom acusatório.*

*A intervenção inicial da mãe de Dênis resultou em uma semana de calmaria, mas depois o menino voltou a agredir Yves. Dessa vez, Gabriel não ficou satisfeito com um telefonema: pediu para conhecer pessoalmente os pais de Dênis. Disse que revelaria ao professor que Yves estava sofrendo* bullying, *mas respeitaria o pedido do filho e não revelaria o nome do agressor. Os pais de Dênis se comprometeram a deixar claro para o filho que estavam levando a situação a sério. Gabriel falou com o professor e contou sobre suas conversas com os pais, mas manteve a promessa de não identificar o agressor. O professor iniciou um projeto em sala de aula para falar sobre crianças que sofrem intimidação. Disse que estava acompanhando a situação com atenção e já fizera contato com vários pais. Assim, Yves, Dênis e o resto da turma sentiram que estavam sendo observados de perto.*

*Em uma reunião de pais e mestres, duas semanas depois, o professor contou que houvera casos de* bullying *na sala, mas o alerta de alguns pais conduzira a situação a um bom desfecho. Pediu aos pais que prestassem atenção a qualquer sinal de que os filhos não estivessem se sentindo confortáveis em aula e, se fosse o caso, avisassem imediatamente para que ele ficasse atento e desse às crianças a proteção adequada.*

Talvez o leitor tenha se surpreendido com a vontade de cooperar tanto dos pais do agressor quanto do professor. Em muitos casos, quando os pais fazem uma reclamação, são recebidos com reações menos positivas por outros pais e professores, que demonstram dúvida e impaciência. No nosso exemplo, há duas razões para a cooperação:

- O pai falou respeitosamente, sem acusar ninguém nem exigir soluções disciplinares drásticas. Quando ligou para os pais do agressor e conversou com o professor, sua mensagem era: "Se cooperarmos, encontraremos uma boa solução para todos". Essa mensagem aumenta a vontade de ajudar, enquanto um discurso raivoso e acusatório leva ao resultado oposto.
- O pai ofereceu uma diretriz clara para a ação conjunta. A mensagem para os pais e o professor era: "Se ficar claro para as crianças que estamos de olho nelas, elas vão se sentir diferentes". A oferta de ações construtivas melhorou a cooperação dos pais e do professor, ao passo que exigir uma ação disciplinar poderia ter levado a uma reação muito diferente.

Essa abordagem aumenta as chances de cooperação se os pais da vítima conversam com os pais do agressor, mesmo que este negue ou diga que "era só uma brincadeira". Se a criança alega, por exemplo, que sempre leva a culpa sem ter feito nada, seus pais podem dizer: "Vamos observar de perto e, se isso for verdade, você poderá provar sua inocência". A decisão de ficar de olho geralmente é a melhor maneira de evitar falsas acusações. Mas também requer que a criança problemática demonstre autocontrole.

Esse processo muitas vezes depende da vontade dos professores. Os pais não podem exigir que estes se comportem dessa ou daquela maneira. Mas é difícil para um professor recusar um pedido positivo e respeitoso, sobretudo se for endossado por vários pais. Criar uma iniciativa conjunta muitas vezes está ao alcance daqueles que se preocupam. O primeiro passo é que os pais do aluno intimidado perguntem ao filho se há outros colegas na mesma situação. Uma criança que sente a preocupação genuína dos pais estará disposta a compartilhar informações. Quando eles se aproximam dos pais de outras vítimas, cria-se um grupo disposto a se unir. O fato de os pais proporem uma solução construtiva, como o aumento da supervisão conjunta de pais e professores, fortalece sua posição em relação à escola. Diante disso, nem o diretor ficará indiferente.

## EVASÃO ESCOLAR

A evasão escolar é um processo gradual. No começo, as crianças faltam poucos dias ou perdem determinadas aulas. Em seguida, as ausências se tornam mais frequentes e às vezes culminam em recusa total de ir à escola. Crianças que faltam muito perdem a identidade de alunos, a qual se forma quando cumprem sua obrigação principal de estudar e ir à escola. Na grande maioria dos casos, as crianças dão por certo que são estudantes. A identidade de aluno lhes dá clareza, estabilidade e pertencimento. Quando as ausências se acumulam, tal identidade começa a enfraquecer e surge outra, bastante problemática, em seu lugar. Por exemplo, a criança pode se perceber como fracassada, doente ou marginalizada. Seu grupo de pertencimento também muda, pois ela passa a se ver como membro de uma gangue de rua, de um grupo viciado em determinado jogo *online* ou de desajustados. Algumas tentam adotar uma identidade imaginária positiva, às vezes superestimada. Elas fantasiam que têm talentos únicos, habilidades ocultas ou uma criatividade incompreendida. No entanto, quanto mais seu comportamento real se deteriora, maior é a diferença entre sua autoimagem e suas habilidades e conquistas.

Manter ou restabelecer a identidade da criança como estudante demanda ações reais dos adultos responsáveis. Portanto, se não vier acompanhada de passos pragmáticos, a psicoterapia por si só não conseguirá restabelecê-la. Para acabar com a permanência da criança em casa são necessárias medidas claras e um plano prático para a volta à escola.

Caso a criança fique em casa, os pais devem tomar medidas para evitar o surgimento de hábitos problemáticos. Em primeiro lugar, ela precisa acordar no horário normal. É importante que o período escolar não seja preenchido com atividades de lazer, como sair com amigos ou jogar no computador. Às vezes, quando o problema está no início, os pais não estão preparados para proibir as telas. Porém, assim que as ausências começarem a se repetir, eles devem garantir que as regras sejam mantidas. Portanto, é melhor para a criança não ficar sozinha em casa. Aconselhamos pedir a ajuda de familiares (como os avós) ou levar a criança para o trabalho, se possível. Nesse caso, é importante não transformar o dia em uma festa, mas fornecer condições para que as tarefas escolares sejam realizadas. Alguns pais se perguntam se tais soluções não pioram o problema, pois a criança recebe atenção. Em nossa experiência, se o pai tomar cuidado para que o dia juntos não seja divertido, levar o filho para o trabalho pode ser uma reação inicial adequada.

Um princípio básico para lidar com as faltas é fazer contato precoce com a escola. Às vezes, os pais são tentados a dar uma desculpa para o absenteísmo. Isso acontece, por exemplo, quando a criança ansiosa tem medo da reação do professor. Porém, essa atitude reforça a tendência a faltar e prejudica a relação com os docentes. Portanto, é necessário informar o real motivo da falta ao educador. Isso permite a construção de uma estratégia conjunta para que a criança tenha mais chances de superar o problema. Quando as faltas se repetem consecutivamente, é preciso agendar uma reunião com o professor para descobrir como intensificar o cuidado vigilante. Quando a criança entende que os pais e a escola estão mutuamente informados e coordenados, fica mais fácil resolver o problema. Além disso, os pais podem descobrir se há fatores na escola que estejam desencadeando as dificuldades da criança, como o *bullying*. O professor pode fornecer informações com base em sua vivência ou se preparar para uma supervisão estreita para descobrir o que está incomodando o aluno.

Quando a criança não consegue fazer o dever de casa sozinha e os pais não conseguem ajudá-la durante o dia, devem fazê-lo à noite. É importante que ela não vá para a cama sem fazer as lições e se atualizar sobre as tarefas do dia. Se os pais não podem ajudá-la nas tarefas de casa, devem procurar um apoiador que o faça em seu lugar. Às vezes, a cooperação da escola é fundamental – por exemplo, pedindo que um colega de classe lhe passe as lições e a ajude nelas. A escola que se prepara para lidar com o absenteísmo envolve nessa estratégia alunos de anos mais avançados. Essas medidas reduzem drasticamente o risco de que as faltas se transformem em evasão total.

**DICAS**

- Mostre à criança que você está interessado em sua situação escolar e social. Pergunte-se: "Eu sei quem são os colegas do meu filho, que temas ele está estudando, quais são as dificuldades dele?"
- Tente fazer contato com os pais dos colegas de classe do seu filho.
- Mantenha boas relações com os professores. Se surgir um problema, encontre uma maneira de resolvê-lo.
- A lição de casa é uma excelente oportunidade para acompanhar seu filho na escola. Mantenha-se informado.
- Se você acha que a preparação matinal para a escola é dificultosa e cansativa, faça um plano para ajudar seu filho a começar o dia com o pé direito. Subdivida as tarefas, realize algumas delas na noite anterior e ajude-o a se organizar.
- Quando você procura o professor ou o diretor com um pedido respeitoso, as chances de reação positiva são altas.
- O *bullying* não é apenas um problema disciplinar. A exigência de punição severa não ajudará seu filho.

- Esteja atento aos sinais de absenteísmo.
- A resposta imediata às faltas é criar um plano de supervisão conjunta com os professores.
- Em todos os contatos com os docentes, tenha em mente que vocês estão no mesmo barco.
- Sempre que seu filho estiver enfrentando dificuldades, lembre-se: apoie, não superproteja.

# 8. Telas[3]

De todas as causas de falta de rumo que as crianças enfrentam na atualidade, nenhuma é tão onipresente quanto os celulares. O papel desses aparelhos é tão fundamental que podemos chamá-los de "membros da família". Estão presentes em quase todos os encontros entre filhos e pais e entre eles e os amigos, mas desempenham papéis diferentes nessas situações. Quando estão com seus pares, o *smartphone* muitas vezes serve como amálgama social. Uma rápida observação no intervalo da escola, por exemplo, mostrou a estes autores que todos os adolescentes que conversavam em grupos seguravam o celular ligado na mão. Às vezes falavam diretamente uns com os outros, às vezes mostravam a tela do celular. Ficou evidente que o dispositivo contribui para a comunicação e ajuda a preencher os momentos vazios, ao mesmo tempo que amplia a oferta de assuntos. No entanto, não ocorre dessa maneira quando as crianças estão com os pais. Basta observar o comportamento das famílias nos restaurantes. O celular quase sempre separa e isola: as crianças ficam absortas nas telas, longe do mundo real compartilhado com os pais.

Os pais se sentem profundamente desamparados quando se trata do mundo virtual. Além das dificuldades diante das diferentes influências sobre seus filhos, eles também se sentem inferiores do ponto de vista tecnológico. Para os pais, esse mundo é relativamente estranho. Já a criança fica à vontade com a realidade virtual: navega naturalmente e às vezes pensa e age segundo as regras das redes. Dadas essas lacunas, muitos pais desistem e a criança passa a enfrentar sozinha os múltiplos

3. Capítulo escrito em coautoria com Yaron Sela e Merav Zach.

perigos do mundo virtual. Diante dessa ameaça, os pais não têm escolha a não ser criar métodos para recobrar a parentalidade e desenvolver uma postura de cuidado vigilante. Os principais riscos nessa área são: 1) o conteúdo e as interações, como exposição a *sites* perniciosos, sofrer assédio e tornar-se vítima nas redes sociais; 2) sair do mundo real e ser engolido pelo virtual.

## COMO VOCÊ SUPERVISIONA O USO DA INTERNET?

Muitos pais ficam surpresos ao descobrir que precisam de um tempo relativamente curto para assumir uma postura de supervisão que reduza significativamente seu sentimento de distanciamento e os riscos aos quais seus filhos se expõem. Nossas pesquisas mostram que, após um breve treinamento, os pais mudam de *status*: param de se sentir alienados daquilo que seus filhos vivenciam no mundo virtual, adquirem a sensação de estar envolvidos e são capazes de agir para reduzir situações prejudiciais.

Como nas outras áreas que abordamos até agora, a distinção entre controle e cuidado vigilante é essencial. Os pais jamais terão controle total dessa esfera da vida dos filhos, pois estes dominam o assunto e o mundo virtual está acessível em qualquer lugar. No entanto, os pais ainda podem exercer cuidados vigilantes e servir de faróis que indicam áreas de perigo, redes de segurança que previnem catástrofes e âncoras que impedem a deriva. A vigilância parental induz a autovigilância da criança, o que a ajuda a cuidar de si mesma hoje e no futuro. Para tanto, os pais devem desenvolver familiaridade com os perigos da internet.

### Os perigos da internet: um guia rápido para os pais

Vejamos os principais riscos que ameaçam as crianças *online*:

e) Envolvimento em atividades proibidas, como exploração sexual, atitudes destrutivas (drogas, jogos de azar, anorexia) e tentativa de recrutamento por grupos nocivos.
f) Tentação de fazer compras e assumir compromissos financeiros.

g) Roubo de informações pessoais, como dados bancários, senhas ou contatos.
h) Violência *online*, como tentativas de humilhar pessoas nas redes sociais ou convites para boicote em grupo.
i) Autoexposição prejudicial, o que acarretará danos atualmente ou no futuro.
j) Vírus inseridos no computador com o intuito de danificar, influenciar conteúdo ou roubar informações.
k) Exposição a conteúdos nocivos para a idade, como pornografia.

O primeiro passo para que os pais tomem uma posição vigilante no campo virtual é iniciar um debate com a criança. Recomendamos uma conversa formal e estruturada, pois os riscos nessa área excedem qualquer tema que possa ser abordado num simples bate-papo. A discussão formal que propomos pode durar duas horas, divididas em duas sessões. Recomendamos que, ao final, pais e filhos assinem um contrato que defina compromissos mútuos. Afinal, quando se fornece um serviço que contém riscos, é importante que haja um compromisso quanto a eventuais danos. A assinatura do contrato dá aos pais justificativas explícitas para reforçar a supervisão se e quando a criança não cumprir seus termos. O documento também aumenta as chances de que a criança pense nos seus pais ao enfrentar as tentações ali descritas.

*Primeira parte da conversa: visita guiada ao computador da criança* – O debate começa com um aviso dos pais: "Queremos entender como você usa seu computador e seu celular e chegar a consensos sobre regras básicas de segurança". Se os pais derem esse aviso de forma clara e inequívoca, as chances de cooperação serão altas. Quanto mais claro estiver para os pais que essa discussão é um dever crucial, mais eles transmitirão a determinação necessária quando se aproximarem da criança. Em nossa experiência, raramente a criança se recusa a ter tal conversa. Quando isso acontece, os pais podem ter certeza de que ela está fazendo mau uso do mundo virtual, o que exige um nível mais alto de cuidados vigilantes.

Na primeira parte da conversa, a criança mostra aos pais as atividades que realiza no computador e no celular, como jogos, redes sociais, *chats* e *sites* favoritos. Os pais permitem que o filho os "leve pela mão" para conhecer seu mundo. A postura deve ser de interesse e não de interrogatório. No caso de jogos complicados, os pais pedem explicações e demonstrações. O interesse genuíno no assunto pode criar um bom ambiente e ajudá-los a conhecer as atividades *online* da criança. Aliás, eles não devem ficar satisfeitos com descrições genéricas, como "eu jogo diversos *games* de RPG". A criança ficará surpresa e reagirá positivamente ao descobrir que as perguntas dos pais refletem interesse genuíno.

Os pais que não são "amigos" dos filhos nas redes sociais (Instagram, Facebook etc.) podem pedir para ver suas páginas iniciais. Se a criança hesitar, devem sugerir a ela que faça alterações para que possa mostrá-las sem medo. Isso fortalece a atitude de interesse parental e reduz a sensação de interrogatório. O objetivo da conversa não é obter informações sobre atividades problemáticas, mas aumentar a presença positiva dos pais. Estes também podem pedir que a criança mostre seus *sites* favoritos, dizendo tranquilamente: "Mostre apenas os *sites* que você se sinta à vontade para mostrar". Recomendamos que a conversa aborde aplicativos para celulares e inovações recentes.

*Segunda parte da conversa: abordagem de riscos e restrições* – Agora, os pais fazem perguntas sobre as áreas de risco que enumeramos no início do capítulo. Sugerimos usar uma lista de perguntas preparadas com antecedência. Os pais que fazem a reunião munidos de tal lista mostram a importância que a conversa tem para eles. Por outro lado, a opção pela conversa fluida e espontânea pode anular a seriedade do projeto dos pais. Vejamos uma lista recomendada de perguntas que abordam as diferentes áreas de risco:

a) "Estranhos já tentaram entrar em contato com você?" "Alguém já estimulou você a realizar atividades proibidas?" Se a criança diz não ou não entende a pergunta, os pais devem explicar: "Houve tentativas de fazer você se interessar por jogos de azar, drogas ou atividades sexuais? Como você se previne contra isso?" Ou: "Alguém já escreveu para você de uma forma que você se sentiu incomodado? O que vai fazer se isso acontecer?" Após as perguntas, os pais devem esclarecer sua posição de forma simples e tranquila, sem ameaçar nem fazer sermão: "Você entende por que estamos fazendo essas perguntas? Muitas crianças foram tentadas a participar de grupos ou atividades prejudiciais. Queremos que você saiba: se algo assim acontecer, vamos apoiar e ajudar você a se proteger ou resolver o problema. Basta nos dizer. Prometemos que não ficaremos bravos e lhe daremos apoio".

b) "Você comprou alguma coisa pelo computador ou pelo celular?" "Você já baixou aplicativos que devem ser pagos?" "Você já deu detalhes do nosso cartão de crédito?" Depois de insistir brevemente, os pais devem acrescentar: "É muito importante ter cuidado, porque uma dívida desse tipo pode ser difícil de pagar". E, então, resumir sua posição dizendo: "Queremos combinar com você que, se dermos permissão para comprar algo com nosso cartão de crédito, isso se aplica exclusivamente a essa compra. É claro que verificamos as cobranças na fatura, mas você precisa saber evitar tais situações".

c) "Já lhe pediram que compartilhasse seu nome de usuário e senha? Muitas vezes, as pessoas solicitam essas informações supostamente para melhorar os serviços que prestam, mas o verdadeiro objetivo é obter seus dados pessoais." Depois de levantar brevemente essas questões, os pais acrescentam: "Por favor, nunca dê seu nome de usuário e senha a ninguém. Também não responda a pedidos de informações pessoais. Isso é quase sempre usado para fins ilegais".

d) "Alguém insultou ou caluniou você no Instagram ou em outra rede social?" "Isso já aconteceu com seus amigos ou colegas de classe?" "Já houve alguma tentativa de boicotar nas redes alguém que você conhece? Como você reagiria se isso acontecesse?" Então os pais devem explicar: "Precisamos que você saiba se proteger, não sofrer *bullying online* nem boicotes. Se isso acontecer, conte para nós. Prometemos ajudar! Se por acaso você entrar em apuros, faremos todo o possível para ajudar sem envergonhar você".

e) "Muitas vezes, as crianças expõem coisas sobre si mesmas nas redes e depois se arrependem. Você acha que os seus amigos expuseram coisas das quais podem se arrepender no futuro?" "Você acha que alguém expôs coisas que podem prejudicá-lo no futuro, por exemplo, quando for procurar emprego?" "Se seus amigos expuserem algo que você ache que dará problema, você está disposto a avisá-los?" Em seguida, os pais dizem: "É importante saber que aquilo que você revela sobre si mesmo pode trazer prejuízos depois. Existem empresas especializadas em coletar informações, e um dia você pode descobrir que há pessoas que sabem coisas a seu respeito que você não gostaria que elas soubessem. Queremos ter certeza de que você não se expõe só para ganhar ou impressionar os outros. Tudo isso pode custar caro".

f) "Como você se protege contra vírus?" "Seu computador já foi infectado? O que você fez?" Depois, os pais acrescentam: "Não abra nenhuma mensagem se você não tiver certeza de quem a enviou. Às vezes, até uma mensagem de alguém que você conhece pode ser prejudicial. Se algo lhe parece estranho ou não condiz com a pessoa que supostamente enviou o e-mail, não abra".

g) "Você já deparou com pornografia?" Se a criança negar, acrescente: "Se ainda não deparou, certamente vai deparar – se não no seu computador, no dos seus amigos. Como você acha que vai reagir se for convidado a visitar *sites* pornográficos?" "Você já entrou em *sites* que oferecem jogos de azar? De que forma você reagiria?" "Você já visitou *sites* que enaltecem drogas ou dietas malucas? Como você reagiria?" Depois de passar brevemente por essas perguntas, os pais acrescentam: "Existem milhões de *sites* de pornografia. Sabemos que você vai encontrá-los; é inevitável hoje em dia. Queremos que saiba que pornografia não é como sexo saudável. É tudo mentira. Essas pessoas não estão se divertindo, mas atuando em troca de dinheiro. Além disso, não se deixe levar por *sites* que tentam seduzir você com jogos de azar, drogas, dietas malucas e outras coisas perigosas. Se oferecerem tais coisas a você, é muito importante que saibamos. Confie em nós; faremos de tudo para ajudá-lo".

Alguns pais ficarão relutantes em fazer essas perguntas de maneira tão direta e sistemática. Talvez prefiram uma conversa mais espontânea. Como dissemos quando descrevemos o processo de anúncio, a formalidade, além de deliberada, é um rito de passagem da era anterior – de abertura e inocência – para a nova era, na qual os pais desejam estar envolvidos. O próprio fato de se prepararem para a conversa, fazendo uma lista de temas, perguntas e esclarecimentos sobre sua posição muda seu grau de presença. A chance de a criança pensar neles se e quando deparar com algo desse tipo é maior. Essa presença na mente da criança é o objetivo final do cuidado vigilante parental.

A última parte da discussão é dedicada à tentativa de fazer um acordo escrito sobre as regras de uso do computador e do celular. Os pais podem dizer: "Nós nunca falamos claramente sobre como garantir que você não seja prejudicado pelo mundo virtual, mas chegamos à conclusão de que é necessário. Nós lhe damos computador, celular e internet, mas precisamos ter certeza de que você não os usa de modo prejudicial. Então gostaríamos que você assinasse um acordo mútuo que protegerá a todos nós. Recebemos essa proposta de especialistas em uso seguro de computadores e internet. Por favor, leia e avise se quiser acrescentar alguma coisa".

## Proposta de acordo entre pais e filhos sobre o uso seguro do computador/celular

### O compromisso dos pais:

Nós, os pais, nos comprometemos a manter um diálogo aberto e respeitoso com você sobre os limites do uso do computador e do celular, porque confiamos na importância dessas ferramentas para a vida de todos.

Supervisionaremos suas atividades *online* porque é nosso dever proteger você, porque somos seus pais. Toda as nossas atitudes sobre esse assunto serão realizadas abertamente.

**O compromisso da criança:**

a) Não fornecerei informações sobre mim e minha família, como nome, endereço, número de telefone etc. sem a aprovação dos meus pais.

b) Comunicarei meus pais imediatamente se eu for abordado de alguma forma que me faça sentir ameaçado ou incomodado.

c) Não marcarei encontros com estranhos que conheci *online* sem falar com meus pais. Só o farei se meus pais concordarem e se o encontro ocorrer em um lugar público.

d) Não enviarei fotos minhas para estranhos sem a aprovação dos meus pais.

e) Não reagirei nem responderei a nenhuma mensagem que me faça sentir desconfortável.

f) Não navegarei nos *sites* em que prometi não entrar. Não visitarei *sites* que contenham pornografia, jogos de azar ou recomendação de drogas ou outras atividades nocivas.

g) Não vou usar meu computador/celular de maneira que atrapalhe o meu tempo de sono, minha frequência na escola ou minhas obrigações como aluno. Não usarei esses aparelhos de um modo que prejudique as atividades em família, como refeições, visitas ou passeios.

Data, assinaturas:

Assinar o contrato sinaliza compromisso, mas por si só não garante que a criança honrará todos os seus termos. Porém, nesse caso, os pais não estarão indefesos. O contrato dá legitimidade às medidas que tomarão se o acordo não for cumprido. Se, por outro lado, a criança se recusar a assinar o contrato, isso indica uso indevido da tecnologia e requer intervenção parental.

Se os pais considerarem que o processo que sugerimos parece complicado e embaraçoso e preferem manter as coisas como estão, devem se perguntar se não estão negligenciando seu dever parental em uma área crítica da vida deles e de seus filhos. O mundo virtual é a esfera em que as crianças mais evitam supervisão. O retorno dos pais à posição de cuidado vigilante nessa área sinaliza uma mudança que redefine tanto o *status* parental quanto o nível de segurança da criança.

### O QUE FAZER QUANDO A CRIANÇA MERGULHA NO MUNDO VIRTUAL?

O segundo perigo que as crianças enfrentam não tem relação com o conteúdo ou os contatos no mundo virtual, mas com o abandono de suas atividades no mundo real. Os sintomas são vários: alienação crescente do ambiente familiar e social; queda do rendimento escolar; reclusão; comprometimento do sono e da condição física, e, às vezes, completo abandono do mundo real exclusivamente em favor do mundo virtual.

Muitos pais perguntam quanto e como restringir o uso de computadores e celulares. A experiência mostra que é ineficaz limitar o número de horas por dia. Tal restrição coloca os pais no papel de policiais que contam as horas e entram em intermináveis discussões com os filhos por causa disso. O ambiente de negociação constante prejudica a relação e esgota os pais. Por outro lado, estes são muito mais bem-sucedidos quando estabelecem uma série de regras claras e simples: por exemplo, nada de tela durante as refeições; nada de tela antes de sair para a escola; nada de tela após as 23 horas.

Os pais não devem acreditar que podem impor limites sem preparação sistemática. A tentativa de impor limites ao uso de celular e computador por advertências e ameaças está fadada ao fracasso, já que o mundo das telas tem uma presença tão avassaladora e arrebatadora na vida da criança que as reclamações dos pais são inúteis. Mas não é o que acontece quando eles abordam a tarefa com a paciência e a seriedade necessárias. Para tanto, devem coordenar posições entre si, definir limites, anunciá-los inequivocamente (auxiliados por um anúncio formal), construir apoio e legitimidade para sua posição e se preparar para ações decisivas se e quando os limites forem violados.

*Depois de assistir a uma palestra sobre o uso problemático das telas, Bernardo e Glória perguntaram ao palestrante como mudar o hábito dos filhos de usar o celular durante as refeições, o que se tornara uma rotina desagradável na família. Na conversa, os pais concordaram que a prioridade máxima seria eliminar o aparelho das refeições. Prepararam um anúncio por escrito, reuniram os três filhos, de 15, 14 e 10 anos em torno da mesa e disseram-lhes: "Nossas refeições deixaram de ser ocasiões familiares, porque cada um fica absorvido no próprio celular. Decidimos juntos que faremos o possível para mudar essa situação, que é muito prejudicial ao nosso espírito familiar. Mamãe e eu não vamos mais mexer no telefone nem atender ligações durante as refeições*[4]*. Decidimos que a regra se aplicará a vocês também. Não haverá mais celulares na mesa. Vamos exigir que vocês os desliguem para que não haja chamadas durante as refeições. Compartilhamos essa decisão com seus avós, tias e primos, para que todos respeitem a regra quando vierem aqui". As três crianças receberam cópias escritas do anúncio, que foi feito uma hora antes do jantar. Antes da refeição, os pais desligaram os telefones na presença dos filhos e pediram-lhes para fazer o mesmo. Ninguém se opôs. Também pediram aos avós que adotassem o mesmo procedimento quando organizassem jantares na casa deles. Quando isso aconteceu, a regra se fortaleceu significativamente. A irmã mais nova de Glória ficou muito impressionada com a decisão e a forma como foi implantada e decidiu fazer o mesmo na sua família. A irmã de Bernardo não sentiu necessidade de restrição semelhante em sua casa, mas sempre a respeitava quando ela e os filhos jantavam na casa do casal.*

Quando os sinais de alerta indicam que o computador está sendo usado de forma errada, os pais devem passar para o último nível de cuidado vigilante, ou seja, medidas unilaterais para proteger a criança.

4. O exemplo dos pais é fundamental na mudança de atitudes.

Aqui estão algumas perguntas que eles podem se fazer para avaliar se os sinais de alerta justificam uma intervenção:

- Nosso filho tranca a porta quando está no computador?
- Ele fica diante da tela até tarde da noite?
- Ele faz compras não autorizadas no nosso cartão de crédito?
- Ele negligencia a escola por causa das suas atividades na internet?
- Ele evita refeições e outras atividades familiares para ficar no computador?
- Ele prefere o computador às atividades sociais fora de casa?
- Ele grita conosco quando pedimos que desligue as telas?
- Ele se recusa a responder perguntas sobre o uso do computador?

Esses são sinais de alerta que justificam o aumento do cuidado vigilante. Os pais não devem agir impulsivamente nem usar ameaças ou punições para resolver o problema. A melhor maneira de iniciar o processo é por um anúncio formal, que pode ser mais ou menos assim: "Sabemos como o computador é importante para você. Mas notamos que ele está prejudicando coisas básicas da sua vida, como escola e sono. Então vamos fazer todo o possível para reduzir os danos e garantir que o seu uso seja construtivo e não destrutivo".

Se a criança se recusar a ler o anúncio ou reclamar, os pais devem dizer calmamente: "Não esperávamos que você concordasse. Nós lhe demos essa cópia para ser justos e não fazer nada pelas suas costas. Esse aviso expressa nosso dever supremo como pais e o fato de que não vamos desistir de você". Após essa declaração, devem encerrar a discussão para evitar uma briga inútil. A seguir, alguns passos práticos que ajudam a acabar com o uso destrutivo das telas.

**Restringir o tempo de tela**

Os pais definem um tempo após o qual não haverá telas. Se a criança não aceitar, eles desligam o computador ou o celular, mas não enquanto ela o estiver usando – isso muitas vezes leva a um conflito sério e até violento. Há várias maneiras de seguir em frente sem cair nessa armadilha. Por exemplo, dizer à criança que, se ela não desligar o computador, os pais vão desabilitá-lo. Nesse caso, o computador deve ser desabilitado quando a criança não estiver presente, por exemplo, removendo um componente funcional (como o *modem*). Outra maneira é dizer a ela: "Você tem cinco minutos para salvar o conteúdo e desligar o computador. Depois disso, tomaremos providências para que ele fique desligado". Se a criança não o desligar, não o façam. Apenas desliguem a energia por alguns minutos. No caso do celular, os pais precisam exercitar a paciência para prevenir usos ilegítimos, por vezes cortando o sinal de wi-fi. Essa estratégia funciona melhor quando um apoiador entra em cena e avisa a criança. Se os pais sabem que ela reagirá violentamente, devem desligar o computador no dia seguinte e deixá-lo assim até que a criança se comprometa a seguir as regras. Nesses casos, envolver apoiadores é particularmente importante, pois eles ajudam de três maneiras: evitam o conflito, apoiam as posições parentais e tornam o compromisso da criança diante deles mais sólido do que se fosse firmado somente com os pais.

### Cortar os serviços de internet

Às vezes é recomendável cortar a internet por um tempo. Isso não é fácil e exige comprometimento e preparação dos pais. Em muitos casos, a criança também usa a internet para atividades positivas e até necessárias (como fazer pesquisas para a escola). Nesses casos, os pais devem planejar soluções alternativas durante a interrupção da internet. Devemos lembrar que, se a criança estiver acostumada a passar dias e noites na frente do computador, reagirá com agressividade. Terá dificuldade de encontrar atividades alternativas e, às vezes, sentirá que todo o seu contato com a vida social foi cortado. Apesar da resistência, nossa experiência com centenas de famílias mostra que qualquer pai ou mãe pode tomar essa atitude quando se prepara com antecedência e recruta apoiadores. É preciso enfatizar que os cenários terríveis que os pais temem não se materializam. Sim, cortar a internet e desligar as telas será recebido por algumas crianças com resistência feroz, mas a ação planejada e determinada dos pais muda seu *status* e os níveis de risco aos quais a criança fica exposta.

## Confiscar o celular

Essa é uma medida que aterroriza muitos pais, pois percebem o *smartphone* como uma extensão natural da criança, e confiscá-lo é uma violação grave. Também receiam ficar sem contato com os filhos quando estes não estiverem em casa. Portanto, é necessário preparar-se com cuidado para tomar tal atitude. O direito dos pais de confiscar o celular está relacionado com a avaliação de que a criança vem usando o aparelho de forma danosa. Quando os pais chegam a essa conclusão – e quando medidas como limitar o tempo de uso e aumentar a fiscalização não ajudam –, o confisco se justifica. Na maioria dos casos que acompanhamos, a medida foi temporária. Com adolescentes, alguns compraram um celular novo e pagaram as despesas com o próprio dinheiro. Nesses casos, os pais lhes disseram que não poderiam usar o aparelho em casa, pois era seu dever não compactuar com atividades destrutivas.

Os pais entendem que tal medida é justificada quando fazem uma comparação com o uso de drogas. Assim como não deixariam o filho usar drogas, devem resistir a qualquer outra atividade de risco, como o uso abusivo de telas. O confisco do celular não pode implicar luta física para tentar superar a resistência da criança, o que poderia levar a uma explosão de violência. Uma ideia é exigir que o *smartphone* seja entregue na presença de apoiadores. Estes podem explicar à criança que a medida é justificada, mas é possível fazer um acordo se ela estiver pronta a se comprometer com as restrições necessárias. Às vezes, quando a proposta é feita por terceiros, os pais ficam surpresos de perceber que o filho está disposto a aceitar os termos que se recusava a ouvir deles. Quanto ao medo de perder contato quando a criança não estiver em casa, os pais devem se preparar como se preparariam para uma rodada de telefonemas – em outras palavras, conseguir com antecedência o número de telefone de amigos e outras pessoas que têm contato com o filho. Tal preparação permitirá que os pais o procurem e demonstrem presença de forma muito mais eficaz do que pelo celular.

*Sérgio e Renée assistiram impotentes quando sua filha Rita (16) abandonou a escola, passou dias e noites nas redes sociais e no celular e, ao mesmo tempo, adotou uma atitude de desprezo e distanciamento em relação a eles. Quando a terapeuta do casal sugeriu que reagissem, Sérgio disse: "Essa é uma abordagem extrema. É como se você me pedisse para cortar o braço da minha filha! E se ela entrar em depressão ou tomar uma atitude drástica?" Porém, durante a conversa, ficou claro que Rita nunca havia ameaçado se machucar e não era depressiva. A terapeuta explicou que, mesmo que houvesse tais ameaças, a maneira correta de lidar com elas não passava pela sacralização do mundo virtual de Rita. A terapeuta se concentrou na frase "cortar o braço da minha filha", que expressava o medo exagerado e o senso de ilegitimidade do pai diante de qualquer ação ligada ao celular. Depois de se preparar para diferentes situações de forte resistência por parte de Rita, eles fizeram o anúncio, intensificaram a supervisão e, quando nada disso adiantou, cortaram o computador e confiscaram o celular. Para sua surpresa, toda a resistência de Rita limitava-se aos estágios anteriores ao desligamento, na tentativa de impedi-lo. Quando viu que Sérgio e Renée estavam de fato agindo, imediatamente quis negociar com eles. Tais negociações duraram mais de duas semanas, e durante todo esse tempo o computador ficou desligado e o celular permaneceu confiscado. As negociações demoraram porque os pais, com a ajuda dos apoiadores, exigiram indicações claras de que Rita voltaria a ser boa aluna. Depois que o computador e o* smartphone *foram devolvidos, houve um período difícil de ajuste, mas o comprometimento funcional e a absorção de Rita no mundo virtual diminuíram bastante. Quando, no final do processo, a terapeuta voltou à metáfora de "cortar o braço" de Rita, Sérgio disse: "Não acredito que pensei nisso. Como se o celular fosse tão sagrado quanto a vida da minha filha!"*

*Abel e Nice eram pais de Marcos (14), que sempre fora um bom aluno e tinha muitos amigos. Nada preparou o casal para a profunda mudança ocorrida na vida do filho quando este passou a jogar* online. *Em poucos meses, Marcos se desligou de quase toda atividade social, abandonou os esportes, passou a tirar notas ruins e ficava longas horas fora de casa, jogando na rua. A relação com os pais, que antes era boa, se deteriorou, reduzindo-se a intermináveis discussões sobre o jogo. Os pais prepararam um anúncio, que foi entregue a Marcos em seu quarto na presença do avô e de um primo mais velho, Danilo, a quem Marcos admirava. No anúncio, os pais disseram que fariam todo o possível para lutar contra a conduta de Marcos. Os apoiadores reforçaram a mensagem parental. Após a reunião, Danilo convidou Marcos para tomar um café, pois queria ajudá-lo a encontrar uma solução digna. Marcos aceitou de bom grado. Após uma conversa de duas horas, chegaram a uma proposta que era aceitável para Marcos. O garoto prometeu por escrito não jogar antes de terminar todas as tarefas; concordou em jogar no máximo três horas diárias; comprometeu-se a não jogar no celular e, caso violasse esse compromisso, perderia o direito de ter um* smartphone, *bem como o direito de ter um computador no quarto. Com a ajuda de Danilo, Marcos se inscreveu em aulas de reforço para recuperar as notas baixas. Em dois meses, voltou a ser como antes e passou a cuidar das áreas da vida que havia negligenciado. A grande surpresa foi que percebeu por si mesmo que o jogo havia prejudicado sua vida. Em pouco tempo, o acordo sobre os termos de uso do computador tornou-se supérfluo, pois o garoto parou por conta própria de jogar.*

**DICAS**

- Manifeste sua presença no mundo virtual de seu filho.
- Não espere que ordens, ameaças ou punições deem resultado. É necessário agir com tranquilidade e determinação.
- O pedido de "visita guiada" ao mundo da criança costuma ser bem aceito.
- Prepare-se para uma conversa planejada e estruturada, na qual você perguntará ao seu filho como ele se protege dos perigos do mundo virtual.
- É aconselhável assinar um contrato de uso seguro das redes.
- A conversa planejada e a assinatura do contrato aumentam sua presença mental no mundo virtual da criança.
- Quando os sinais de risco aparecerem, prepare-se para intensificar o cuidado vigilante.
- Declare seus limites de modo inequívoco.

- Prepare-se para reduzir os serviços.
- Procure apoio para suas atitudes.
- Não desligue o computador enquanto a criança estiver sentada na frente dele.
- Não arranque o celular das mãos dela.
- Lembre-se: computador, celular e internet são serviços que você fornece. É seu dever garantir que seu uso não seja prejudicial.

# Conclusões: a ameaça e a visão

Abrimos este livro afirmando que o papel dos pais se tornou menos claro na geração atual. Descrevemos como a falta de clareza parental se mistura a mudanças na família, na sociedade e nas tecnologias, corroendo a capacidade dos pais de agir e suportar pressões. O melhor remédio contra o caos, a perplexidade e o desamparo é uma visão clara traduzida em planos concretos. Atualmente, é preciso ousadia para formular tal visão. Porém, se não a formularmos, estaremos fadados a vaguear sem bússola nem mapa. Por isso decidimos apresentar nossa visão de maneira ambiciosa, mesmo que gere incredulidade.

**ONDE HOUVE IMPULSIVIDADE HAVERÁ AUTOCONTROLE**

Mostramos em nossos estudos que até mesmo os pais mais impulsivos têm a capacidade de recuar, controlar suas reações e responder com moderação, mesmo em situações desafiadoras e diante de provocações graves. O autocontrole tem se mostrado fundamental para melhorar a situação da criança e a atmosfera doméstica.

**ONDE HOUVE SOLIDÃO E ISOLAMENTO HAVERÁ UMA REDE DE APOIO**

Quando entendem que a reclusão em uma bolha nuclear enfraquece a posição parental e aumenta os riscos, muitos pais decidem procurar a ajuda de apoiadores. Mostramos a esses pais modos de superar ressalvas típicas – como a privacidade, a vergonha, a falsa crença de que pedir ajuda indica fraqueza e o equívoco de que não encontrariam apoio ao seu redor. Está comprovado que os pais que estão dispostos a buscar ajuda superam a paralisia e o desamparo. Agindo assim, criam um novo ambiente que, em vez de perpetuar os problemas da criança, abre um canal para que ela de fato melhore. Isso proporciona aos pais reforço e legitimidade.

## ONDE HOUVE FRAQUEZA E MARGINALIDADE HAVERÁ PRESENÇA E CUIDADOS VIGILANTES

Descrevemos as mudanças que ocorreram nas famílias quando os pais tomaram medidas para recuperar seu papel de liderança. Mostramos que, mesmo quando reclamam, os filhos têm uma voz interna que aprova as ações dos pais. O aumento da presença e do cuidado vigilante reduz todo tipo de risco em todas as idades.

## ONDE HOUVE O CAOS HAVERÁ O LIMITE AMOROSO

Mostramos que o limite amoroso é muito mais do que um castigo. Os pais não estabelecem simplesmente "um limite para os filhos", mas tornam-se eles próprios o limite. Vimos diversas formas pelas quais os pais podem transformar interações que antes eram meramente disciplinares em experiências existenciais de limite amoroso, o que muda para melhor as condições de vida de todos os membros da família.

## ONDE HOUVE INCONSTÂNCIA HAVERÁ PERSISTÊNCIA E CONTINUIDADE

As dificuldades dos pais, expressas por um movimento frenético de proibições, gritos, broncas, ameaças e frustrações, podem se concretizar em uma parentalidade coerente, consistente e persistente. Em vez dos "nãos" dispersos que se dissipam e estouram como bolhas de sabão, os pais aprendem a estabelecer limites. O tempo em si se transforma em uma base de parentalidade estável. A capacidade de conter as próprias reações ou voltar a determinado assunto mais tarde, lembrando e persistindo, gera coerência e ordem onde a experiência interna da criança e dos pais era caótica e beligerante.

## ONDE HOUVE DISTÂNCIA E INDIFERENÇA HAVERÁ VÍNCULO E PERTENCIMENTO

O enfraquecimento da família é claramente comprovado pela diminuição da sensação de pertencimento. Crianças e adolescentes estão cada vez mais envolvidos com computadores, celulares, grupos marginais e atividades secretas. Os pais que mostram presença e são capazes de se conectar com uma rede de apoio podem atrair para si a necessidade de pertencimento da criança. A renovação da coesão familiar é uma das características mais marcantes da nossa abordagem.

Esses princípios são o cerne da nossa visão. Mas é sempre bom sintetizar determinada visão em uma imagem unificada. Embora cada capítulo deste livro descreva um ângulo diferente, esperamos que ao final da leitura os pais tenham não só dicas, mas também uma ideia coerente de como podem manter sua parentalidade diante dos inúmeros desafios e demandas destes tempos tão complexos. Se uma imagem vale por mil palavras, a imagem a seguir resume nossas ideias.

## ONDE HOUVE DERIVA HAVERÁ ANCORAGEM

A ancoragem parental é expressa pela presença firme, pelo autocontrole, pelo vínculo com os apoiadores e pelo cuidado decidido do limite amoroso. O símbolo da autoridade parental não é mais o punho levantado, o rosto irritado, o grito ameaçador ou a punição severa, mas a âncora presente, estável, conectada e que conecta.

www.gruposummus.com.br